GESUNDHEIT AUS DEM GARTEN

GESUNDHEIT AUS DEM GARTEN

Harmonie und Wohlbefinden
durch Duft, Farbe, Klang …

David Squire

CALLWEY

Übersetzung aus dem Englischen
von Cai-Asmus von Rumohr, Drült, bei Kappeln/Schlei

Die Originalausgabe erschien 1998 unter dem Titel
The Healing Garden bei
CLB International, ein Imprint von Quadrillon Publishing
Ltd of Godalming Business Centre, Woolsack Way,
Godalming, Surrey, GU7 1XW, England

Die Deutsche Bibliothek – CIP-Einheitsaufnahme
Gesundheit aus dem Garten: Harmonie und Wohlbefinden durch Duft, Farbe,
Klang .../David Squire. [Übers.: Cai-Asmus von Rumohr]. – München: Callwey, 1998
ISBN 3-7667-1341-8

Gestaltungskonzept: Justina Leitão
Gestaltung: Martin Bristow
Lektorat: Jane Alexander
Bildredaktion: Mandy Little
Lektoratsassistenz: Catriona Tudor Erler, Huw Jones
Herstellung: Ruth Arthur, Neil Randles, Paul Wakefield
Umschlaggestaltung: Bernd Wegener, Berlin, unter Verwendung
der Abb. auf den Seiten 33, 86, 95, 113, 115 und 132
Satz: Sylvia Lingner, Warngau
Printed in Singapore
ISBN 3-7667-1341-8

Seite 1: Ein paradiesischer Garten in Haiderabad/Indien. Diese Illustration von ca. 1770 zeigt einen anmutigen Garten: die Vögel, die Musik, die üppige Natur verleihen dem Garten eine besondere Schwingung.
Seite 2: Chinesen begegnen alten Bäumen mit Achtung, da sie die positive Kraft des Chi anziehen und in sich bergen.
Oben: Der Laut fließenden Wassers ist von einer sich wiederholenden, dennoch ungleichmäßigen Art, die eine behagliche und heilende Qualität für Gärten mit sich bringt.

BILDNACHWEIS

British Library: Seite 130; **Peter Clayton:** Seite 19 (ol); **Colour Library Books, International:** Seiten 16 (alle), 20 (alle), 29 (alle), 31 (u), 39, 69, 70 (alle r), 74 (l & r), 86 (alle), 113 (alle), 115 (alle), 119 (r), 126, 129 (u), 132 (o), 133 (o & u), 134, 136 (ol), 137 (o); **David Squire:** Seiten 8 (r), 9 (r), 10 (l), 13 (or), 19 (or), 20 (ol), 65, 99 (o), 100 (l), 104 (l), 106 (u), 108 (l), 109 (o), 117; **Efamol Evening Primrose Oil:** Seite 78 (o); **E.T. Archive:** Seiten 9 (u), 139 (u); **Biblioteca Estense, Madrid:** Seite 6; **Bibliothèque Nationale, Paris:** Seiten 102, 105 (u); **British Museum:** Seiten 10 (r), 11; **Buonconsiglio Castle Trento:** Seite 105 (o); **Marco Polo Gallery, Paris:** frontispiece, Seite 124; **Musée des Beaux Arts, Lille:** Seite 21; **Prado Madrid:** Seite 40; **Stadelisches Kunstinstitut:** Seite 12 (r); **Victoria & Albert Museum, London:** Seiten 13 (ol), 104 (r); **John Glover:** Seiten 7, 8 (r), 14, 22 (alle), 23, 25, 30 (u), 31, 34 (beide), 35, 36 (o), 38, 41 (l), 42, 44, 46, 47, 48 (u), 49, 51 (u), 53 (u), 54, 56 (o), 57, 58, 59, 60, 61 (o), 64, 66, 67, 68, 71 (l), 72 (r) 73 (l), 76, 77, 78 (u), 79, 80 (u), 81, 82 (u), 84 (u), 85 (o), 87, 88, 89, 90 (r), 91 (u), 92, 93, 94 98 (r), 100 (r), 101 (u), 108 (M), 109 (l), 111 (l), 112 (r), 114, 118 (u), 120 (o), 121, 122 (l), 123, 132, 135, 137 (beide l), 138 (u); **Vana Haggerty:** (Illustrationen) Seiten 12 (l), 17 (or), 18 (l), 24 (o), 26 (o), 27 (beide r), 30 (o), 31 (r), 32 (o), 36 (u), 41 (r), 42 (l), 43, 48 (ol), 50 (l), 52 (o), 70 (l), 71 (r), 72 (l), 73 (r),75, 80 (o), 84 (l), 85 (r), 87 (br), 90 (l), 98 (l), 101 (r), 106 (o), 107 (r), 108 (r), 111 (r), 112 (l), 125, 129 (o), 132 (l), 136 (or), 137 (beide r), 138 (r), 139 (ol); **Jerry Harpur:** Seite 97 (o); **Holt Studios International:** Seiten 15, 24 (u), 26 (u), 27 (o), 95, 103, 131; **Israeli Tourist Board:** Seite 18 (u); **Life File:** Seiten 13 (u), 37 (u) (Gina Green), 30 (Nicola Sutton); **Lindley Library, Royal Horticultural Society:** Seiten 45, 55, 56 (u), 61 (u), 110, 128, 136 (u); **Nature Photographers:** Seiten 96 (Frank Blackburn), 120 (u) (Geoff Du Feu), 120 (u), 28 (Paul Sterry); **Peter Newark's Historical Pictures:** Seite 122 (r); **David Squire:** 17 (ol & u), 19 (u), 35, 37 (o), 41 (r), 48 (or), 50 (u), 51 (or), 53 (o), 66 (u), 82 (o), 83 (o), 97 (u), 107 (l), 116, 119 (u); **Catriona Tudor-Erler:** Seiten 33, 52 (u), 62, 63, 74 (M), 118 (o), 127

INHALT

Einleitung 7

Hat Erde eine Seele? 15

Heilen durch Berührungen 33

Farbtherapie im Garten 39

Therapieren mit Mustern,
Figuren, Formen und Skulpturen 55

Heilende Düfte 65

Wohltuende Klänge 95

Heilkräuter 103

Heilende Blumen 117

Die Heilkraft von Gemüse und Früchten 131

Literatur 140

Register 142

EINLEITUNG

In der Schöpfungsgeschichte des Alten Testaments heißt es, daß das Leben im Garten Eden entstand und darin „allerlei Bäume sprossen, lieblich zum Anschauen und gut zur Nahrung". Die Genesis berichtet auch von Flüssen, die dort entsprangen und nach den vier Eckpunkten der Welt strömten.

Die Vorstellung des Paradieses als Garten findet sich in vielen Religionen wieder. So erwähnt auch der Koran „Gärten, durcheilt von Bächen", um auf ewig darin zu verweilen.

Historisch gesehen ist die Idee des Paradiesgartens auf die persische Kultur im 5. Jahrtausend v.Chr. zurückzuführen. Man vermutete ihn in Mesopotamien, im Schwemmland zwischen Euphrat und Tigris, das einst zum Persischen Reich gehörte und heute Teil des Iraks ist.

Fast alle Völker des Altertums kannten einen Paradiesgarten mit Pflanzen, die aufgrund ihrer übernatürlichen oder heilenden Kräfte als heilig galten.

Jene heilende Wirkung verlieh manchen Pflanzen oftmals eine sakrale Bedeutung, besonders zu Zeiten, in denen der Glaube verbreitet war, daß Krankheiten eine göttliche Vergeltung für menschliche Sünden waren.

Zu den Pflanzen, denen man übernatürliche Kräfte zuschrieb, gehörten vor allem Bäume, da ihre Langlebigkeit sowohl ihren historischen Rang als auch

ihre Beständigkeit im Wechsel der Jahreszeiten verbürgte.

Doch auch Stauden werden verehrt, wie *Ocimum tenuifolium,* das „Heilige Basilikum" der Hindus. Es gab Zeiten, da war dieses Kraut in ganz Indien in fast jedem hinduistischen Haushalt zu finden. Früher nannte man es bezeichnenderweise *Ocimum sanctum.*

Von ganz anderem Charakter ist *Nelumbo nucifera,* Heiliger Lotus, eine Wasserpflanze, die bei den Ägyptern seit altersher verehrt wurde und auch in Teilen Asiens zu finden ist.

Der Heilige Feigenbaum, *Ficus religiosa,* auch Bo-Baum oder Peepul genannt, ist vermutlich der in Indien und Sri Lanka sowohl von Buddhisten als auch von Hindus am meisten verehrte Baum.

Aus Südamerika berichtete der Naturforscher Charles Darwin in den 30er Jahren des 19. Jahrhunderts von einem heiligen Baum am Rio Negro, den die Indianer als Altar von Walleechu verehrten.

Die Naturvölker Nordamerikas leiteten den Namen ihres Clans meist von Bäumen und Pflanzen ab. Jedes Stammesmitglied ließ sich genealogisch auf eine bestimmte Pflanze zurückführen.

In England hatten Bäume wie die Eiche oder der Dorn sowohl in heidnischem als auch in frühchristlichem Gedankengut eine religiöse Bedeutung.

Die Eiche wird mit Zeus, Herkules, Janus und Thor in Verbindung gebracht. Und „Druide" heißt soviel wie „Eichen-Mann". Zum jährlich stattfindenden Opferfest wurde ein Eichenzweig dargebracht.

DER NEANDERTALER

Die frühesten Anzeichen von Ackerbau liegen erst 10.000 Jahre zurück, ob-

Gegenüberliegende Seite: **In einem umfriedeten Blumengarten bietet Venus, die Göttin der Liebe, einen Becher Wasser aus dem Jungbrunnen dar. Aus *Modena de Sphaera,* einer Handschrift des 15. Jahrhunderts.**

Mitte: **Der duftende Lotus, *Nelumbo nucifera,* wird von Hindus und Buddhisten verehrt. Die Wurzeln sind als Gemüse eßbar und lassen sich darüber hinaus zu einem stärkehaltigen Mehl verarbeiten.**

BÄUME VERSETZEN

Die Ägypter entwickelten eine besondere Technik, um große Bäume zu versetzen. Zunächst wurde ein Graben um den Baum gezogen, dann stachen die Arbeiter einen großen Wurzelballen aus, der mit feuchten Tüchern zusammengehalten wurde. Der Transport erfolgte in einem Korb, den Sklaven an Stangen trugen.

Rechts: Die alten Ägypter schmückten ihre Tempel mit Hieroglyphen, die oftmals Ernteszenen und Pflanzenarten wiedergaben.

gleich es als erwiesen gilt, daß das Empfinden für Schönheit und Heilkraft von Blumen weiter zurückreicht.

Bei der Freilegung von Gräberfeldern aus der Zeit des Homo neanderthalensis, der vor etwa 60.000 Jahren lebte, stellte sich heraus, daß Kornblumen, Schafgarben, Traubenhyazinthen und andere Blumen um die Bestatteten gelegt waren.

Natürliche Gärten auf Waldlichtungen oder entlang von Flußufern müssen den vorgeschichtlichen Menschen einst Bereiche der Ruhe und Erholung geboten haben. Und vielleicht gesellten sich auch Götter und Geister hinzu.

FRÜHE GÄRTEN

Die Anlage von Ziergärten deutet auf eine höhere Kulturstufe und Wirtschaftsordnung hin. Die ersten Kulturen, die sich von den Jägern und Sammlern – die die Nahrung je nach Jahreszeit einholten – hin zu einer seßhaften landwirtschaftlich ausgerichteten Lebensweise entwickelten, lagen im Vorderen Orient, dem sogenannten „fruchtbaren Halbmond“.

Die Sumerer, die um 3000 v.Chr. im südlichen Mesopotamien seßhaft wurden, sollen angeblich aus den Wäldern Armeniens im Norden gekommen sein.

Sie errichteten Hügel und Plateaus, um sie mit Bäumen zu bepflanzen – vermutlich, um ihren Waldgöttern eine neue Heimat zu geben.

Abgesehen von dieser frühen Pflanzenverehrung wissen wir wenig darüber, wie die Gärten der Sumerer und Assyrer beschaffen waren, obgleich Schnitzarbeiten auf Weinstöcke und verschiedene Arten von Bäumen hindeuten.

Der früheste Nachweis eines wirklichen Gartens taucht auf ägyptischen Grabmalereien auf. Im Jahre 1549 v.Chr. sandte die Königin Hatschepsut eine Expedition in das Land Punt (wohl Somalia) aus, um Weihrauchbäume zu sammeln, die in den Terrassengärten des für sie bestimmten Grabtempels nahe Theben angepflanzt werden sollten.

Abbildungen und Gräberfunde zeigen, daß die Ägypter den Feldmohn, die Winde, die Malve und viele andere Blumen sowie Heil- und Gewürzpflanzen kultivierten.

Auch der Anbau von Feigen, Dattelpalmen, Lilien, Granatäpfeln und Weinreben war verbreitet.

Die Hängenden Gärten Babylons?

Diese berühmten Gärten schuf nach der Überlieferung König Nebukadnezar (605–562 v.Chr.) für seine persische Gattin Mayitis, um die Sehnsucht nach den Hochländern ihrer Heimat zu stillen.

Der griechische Historiker Diodorus Siculus (1.Jahrhundert v.Chr.) berichtet von einer anderen Version: Danach wurden die Gärten von dem persischen König Cyrus zu Ehren einer Hofdame angelegt. Einer weiteren Legende zufolge ließ die assyrische Königin Semiramis jene prachtvollen Gartenanlagen erbauen.

Wie auch immer – die einer Dame zuliebe geschaffenen Gärten gehören auch heute noch zu den Sieben Weltwundern der Antike.

Die Perser liebten Gärten und Blumen. Im Gefolge ihrer Eroberungszüge brachten sie nicht nur ihre Gesetze und Bräuche nach Assyrien, Babylon und Ägypten, sondern auch ihre Gartenkultur, die sie den jeweiligen klimatischen Verhältnissen in den unterworfenen Ländern anpaßten.

Der Perserkönig Xerxes I. sah auf seinem Feldzug nach Griechenland

Die Göttin der Natur

Um eine größere Fruchtbarkeit für das Land und seine Bewohner zu erzielen, werden seit Jahrtausenden Götter angerufen. Die alten Ägypter verehrten unter anderem Mut, die Göttin der Natur.

Links: Schon um 1200 v. Chr. verzierten die Ägypter die Wände ihrer Gräber. Diese Malerei vom Grab des Sennudem (19. Dynastie) zeigt einen Mann beim Pflügen mit einem Ochsengespann sowie eine Frau bei der Aussaat.

DIE MAGISCHE STECHPALME

Der Stechpalme sagt man nach, vor bösen Geistern, Gift und Blitz zu schützen. Tatsächlich wirken die Blätter wie kleine schützende Blitzableiter. In der Bachblütentherapie wird Stechpalme bei Überempfindlichkeit, Haßgefühl und aggressivem Verhalten empfohlen.

einen auffallend schönen Baum. Er ließ zu seinem Schutz Wachen aufstellen und die Zweige mit goldenen Ketten schmücken.

Griechen und Römer

Die Griechen der Frühzeit waren ein Hirten- und Bauernvolk. Für feierliche Anlässe banden sie wilde Blumen, die die Hügel im Frühling übersäten, zu Girlanden. Die griechischen Gärten waren eher Nutz- als Ziergärten und hauptsächlich für Obst- und Weinplantagen ausgerichtet.

Alexander der Große, der um etwa 350 v.Chr. mit seinen Armeen aus Ägypten und Persien zurückkehrte, brachte erstmals Kunde von der erstaunlichen Vielfalt der Pflanzen.

Auf diese Weise kamen neue Ideen der Gartenkultur in die griechischen Kolonien: Alexandria, das am Nildelta lag, wurde daraufhin großzügig mit Statuen, gepflasterten Plätzen, Brunnen, Wassergärten und hängenden Gärten angelegt, die mehr als ein Viertel der Gesamtfläche einnahmen.

Die frühesten römischen Gärten lehnten sich an griechische Vorbilder an, deren Innenhöfe mit Töpfen, Trögen und Blumenkästen ausgestattet waren. So ließ sich der Wohlstand eines römischen Bürgers an der Größe seines Gartens ermessen. Nach dem verheerenden Brand 64 n.Chr. ließ Nero viele Häuser niederreißen, um Platz für große und kunstvolle Gärten zu schaffen.

Die Rose war in der Blütezeit des Römischen Reiches das Symbol für Geheimnis und Verschwiegenheit. Ihr wurde nachgesagt, durch Wein verursachtes ausschweifendes Verhalten heilen zu können. Bei Festmahlen wurden die Gäste mit Rosenblättern beworfen, um ihre Trunkenheit zu mildern. Dazu wurden das ganze Jahr Blütenblätter importiert. Zur Rosenzucht entwickelten die Römer Beetanlagen, die mit temperiertem Wasser in einem Röhrensystem erwärmt werden konnten.

Rechts: Das nordamerikanische Dorf Secoton (später bekannt als Secota) zeichnete Captain John White, einer der ersten Siedler Neuenglands. Auf der Zeichnung lassen sich die drei Entwicklungsstadien des Mais gut ablesen. Für die spätere Veröffentlichung 1590 fügte der niederländische Kupferstecher Theodor de Bry noch Sonnenblumen, Kürbisse und Tabak hinzu.

Gegenüberliegende Seite: Die muslimischen Propheten Ali Husein und Hasan im Paradies (aus dem *Khavarannameh*, 1686). Seit Alexander dem Großen inspirierten die persischen Gärten Gartengestalter in Ost und West.

Der römische Stadtgarten war klein und von einer Mauer eingefaßt, die oft mit Gartenszenen bemalt war, um eine größere Raumwirkung zu erzielen.

Wohlhabende Römer besaßen eine Villa vor der Stadt. Die verschwenderisch ausgestatteten Gärten bezogen die ländliche Umgebung oft mit ein.

Blumen spielten eine eher untergeordnete Rolle; man bevorzugte Sträucher und dekorierte die Grünanlagen mit Statuen und Vasen.

Islamische Gärten

Mit den Siegeszügen der arabischen Heere seit dem 7. Jahrhundert wurde der islamische Glaube nach Ost und West verbreitet.

Als die Eroberer erstmals die persischen Gärten erblickten, waren sie davon überzeugt, in jenes Paradies eingetreten zu sein, das der Koran dem Gläubigen versprach.

Übrigens leitet sich „Paradies" von dem altpersischen Wort „pairidaeza" ab, was soviel wie „Umzäunung" bedeutet.

Die Araber breiteten sich westwärts über Nordafrika bis nach Andalusien aus, wo sie im 8. Jahrhundert in Cordoba einen Garten nach dem Vorbild in Damaskus anlegten.

Mit dem Zustrom fremder Menschen und Ideen kamen auch zahlreiche neue Pflanzenarten nach Europa, darunter viele Exoten, die zuvor nur in Persien und im Osten bekannt waren. Doch die vielleicht nachhaltigste Hinterlassenschaft islamischer Gartenkultur ist der umfriedete Garten und die Verwendung von Wasser. Die klösterliche und meditative Atmosphäre maurischer Gärten ist von positiver, heilender Wirkung, die das Gemüt beruhigt und Vertrauen in den steten Fluß des Lebens spendet.

Das Konzept der islamischen Bauweise, Häuser mit einem von der Außenwelt abgeschirmten Innenhof zu errichten, wurde in fast ganz Spanien übernommen. Es entstand ein Ort des Friedens, weit entfernt vom Getöse der Stadt, der zudem für ständigen Schatten sorgte.

Terrassen waren in der Renaissance sehr beliebt und wurden mit Vasen und Büsten dekoriert, wodurch sich oft schöne Fluchten und Durchblicke in den Garten ergaben.

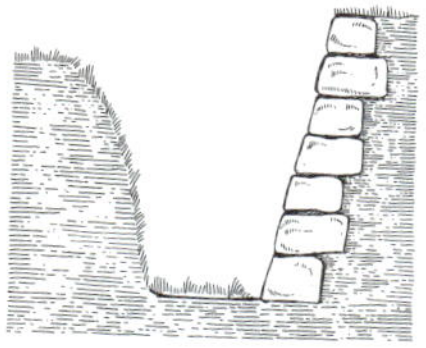

DER „HA-HA"

Diese Gartengestaltung besticht durch ihre ausgeklügelte Konstruktion. Ein Graben hält Eindringlinge von außen ab und ermöglicht zugleich, daß der Blick vom Garten aus ungehindert über die Begrenzung hinwegschweifen kann. Er soll von französischen Gartenarchitekten des 17. Jahrhunderts eingeführt worden sein und seine Bezeichnung durch staunende Ausrufe „Ah, ah!" erhalten haben. In England gewann er durch den berühmten Landschaftsplaner Lancelot Brown (1716–1783) an Popularität.

Frühe Klostergärten

Im ersten christlichen Kloster, das der heilige Antonius im Jahre 305 in Ägypten gründete, nahm die Gartenarbeit einen wichtigen Stellenwert ein. Einige Jahre später riet der heilige Hieronymus einem Novizen: „Hacke deinen Grund, setze Kohl und bewässere gut."

Im frühen 6. Jahrhundert soll der heilige Benedikt von Nursia – der spätere Gründer des berühmten Klosters Montecassino südlich von Rom – im Kloster Subiaco einen Rosengarten angelegt haben.

Im frühen 9. Jahrhundert stand Walafried Strabo (809–849) als Abt dem Benediktinerkloster auf der Insel Reichenau vor. Berichten zufolge hat er 23 verschiedene Pflanzen kultiviert, und er selbst erwähnte noch ein Dutzend anderer.

Anfang des 9. Jahrhunderts entstanden im Kloster St. Gallen Entwürfe für einen idealen Klostergarten. Die Pläne enthalten eine breite Palette an Pflanzen wie Kümmel, Fenchel, Bockshornklee, Pflaumeniris, Liebstöckel, Minze, Marienkraut, Rose, Rosmarin, Raute und Salbei. Insgesamt werden 49 Pflanzen erwähnt.

Etwas früher schon hatte Karl der Große (742–814) eine Liste mit 89 Pflanzen zum Anbau auf den Krongütern verordnet.

Diese Auflistung enthielt Heilkräuter, Obstbäume, Möhren und Pastinaken, sowie die Krapp-Pflanze (eine wichtige

Rechts: Viele Religionen, auch das Christentum, assoziieren das Paradies mit einem Garten. Das Gemälde des oberrheinischen Meisters aus dem Jahre 1410 zeigt einen solchen „hortus conclusus".

TEEGÄRTEN

Für das Ritual der Teezeremonie spielte der Teegarten eine wichtige Rolle; man versammelte sich dort, um vor dem Teetrinken die weltlichen Sorgen abzustreifen.

Sinn dieses Gartens war es, ein Gefühl der Heiterkeit hervorzurufen und die Gedanken zu bündeln, nicht aber sie zu zerstreuen. Dabei sorgten Bäume, Sträucher und Farne für eine zeitlose und besinnliche Landschaft. Blumen, die mit ihrem kurzlebigen Charakter und ihrer Farbigkeit ständig an die wechselnden Naturabläufe erinnerten, versuchte man zu vermeiden.

Färberpflanze) und die Kardendistel (die mit ihren steifen hakigen Hochblättern dazu verwendet wurde, das Tuch aufzurauhen).

Chinesische und japanische Gärten

China hat eine lange Tradition hinsichtlich der Gartenkultur. Zwei verschiedene philosophische Richtungen sind dabei maßgebend: Der Taoismus versucht zu ergründen, wie sich der Mensch am besten in die Welt einfügt, während der Konfuzianismus die Beziehung zu anderen Menschen zum Inhalt hat.

Im chinesischen Garten sind Haus und Garten als zwei voneinander unabhängige Bereiche zu betrachten: Der Garten spiegelt die taoistische Philosophie wider, das Haus mit seinen Höfen und Räumen die konfuzianische, wobei der Garten mit Bauten ausgestattet sein kann, die der Meditation und Kontemplation dienen.

In frühen japanischen Gärten finden sich auch Elemente des Shintoismus, einer Religion, die Menschen, Tiere, Pflanzen und alle natürlichen Dinge als gleichwertig betrachtet.

Gärten, die nach diesem Ideal angelegt waren, beinhalteten eine Vielzahl an natürlichen Szenarien, wie zum Beispiel Seen, Inseln, Bäume, die meist verkleinert nachgebildet wurden, um die Schönheit der Natur einzufangen.

Sie wecken eine Atmosphäre des Friedens, der Kontemplation und der Besinnlichkeit.

BODHIDHARMA, SCHUTZPATRON DER TEEPFLANZE

Der Patriarch Bodhidharma gilt als der Begründer des Zen-Buddhismus. Der Legende nach soll er sich die Augenlider aus Wut darüber abgeschnitten haben, daß er bei der Meditation eingeschlafen ist. Deshalb trinken die Zen-Buddhisten Tee, um sich bei der Meditation wach zu halten.

Links: Der Daitakuji-Tempel in Kyoto zeigt in seiner Gartenanlage beispielhaft die Ruhe und Strenge japanischer Gärten.

HAT ERDE EINE SEELE?

Jegliches Leben auf der Erde ist abhängig vom Boden, und in vielen Kulturen und Religionen war man überzeugt davon, daß die Erde selbst eine Seele hat, eine Empfindsamkeit und Lebenskraft in sich birgt. Daher resultierte die Vorstellung, daß Menschen kein Land besitzen, sondern nur verwalten dürfen, um es für kommende Generationen zu erhalten.

DER MENSCH WIRD SESSHAFT

Im Zuge der ersten Besiedlungen verbreitete sich die Vorstellung, daß der Mensch die Umwelt gestalten kann und sich nicht länger ihren Gesetzen zu unterwerfen hat. Obwohl er die Jahreszeiten nicht beeinflussen konnte, vermochte er doch sein Leben zu organisieren und für Nahrung zu sorgen, ohne den Launen der Natur ausgeliefert zu sein.

Mit der Kultivierung des Landes entstanden Volksbräuche, die den alljährlich sich wiederholenden Lebenszyklus wachhielten: die Zeit zu pflügen, zu säen und zu ernten.

Heutzutage gelten diese Traditionen häufig als überholt und ohne Bezug zum modernen Leben. Sie zeugen von einer Zeit des Landlebens, als große Teile der Bevölkerung noch nicht lesen und schreiben konnten und auf ihre Erfahrungen und Beobachtungen angewiesen waren. In Nordamerika lernten die ersten Siedler von den Ureinwohnern, daß die Aussaat von Mais nur dann gesichert war, wenn die jungen

Blätter bestimmter Baum- und Pflanzenarten die Größe eines Eichhörnchenohrs erreicht hatten. Diese Volksweisheit verdeutlicht den empfindlichen Charakter dieser Pflanze, die erst gesät werden darf, wenn keine Frostgefahr mehr besteht. Ein anderer Saatspruch besagt:

„Wer um St. Lukas (18. Oktober) Roggen
streut, es nicht in nächster Ernt' bereut.“

Solche Spruchweisheiten bezogen sich nicht nur auf die Entwicklungsstadien bestimmter Pflanzen, sondern auch auf den Kirchenkalender:

„Beginnt der Pfarrer aus der Schöpfung zu lesen, wird es Zeit, den Hafer zu säen.“

DIE GRUNDLAGE DES LEBENS

Erde ist die Basis allen Lebens: eine komplexe Masse von Mineralien, abgestorbenem und sich zersetzendem organischem Material, Mikroorganismen, Wasser und Luft. Wenn alle diese Bestandteile miteinander im Gleichgewicht stehen, gedeihen die Pflanzen; ein Mangel jedoch an dem einen oder anderen Element läßt den Boden verarmen und beeinträchtigt Keimung und Pflanzenwachstum.

UNTERSCHIEDLICHE BODENARTEN

Gärtner bevorzugen im allgemeinen eine mäßig lehmhaltige Gartenerde, die fruchtbar ist und gut die Feuchtigkeit hält. Sie sollte weder zu viel Ton noch übermäßig viel Sand enthalten. Leider

Gegenüberliegende Seite: **Die blauen Traubenhyazinthen sind der Inbegriff des späten Frühlings, wenn Blumen und frische Triebe den Beginn des Sommers ankündigen.**

Oben Mitte: **Jedes Jahr, wenn der Samen keimt und die Erde durchbricht, beginnt das Leben auf mystische Weise von neuem.**

Oben: Die Beschaffenheit des Bodens ist sehr unterschiedlich. Einige weisen einen hohen Gehalt an Flint- u. Kalkstein auf, so daß die Feuchtigkeit gut abziehen kann (a); andere sind lehmig und fruchtbar (b); und wieder andere sind überwiegend tonhaltig, so daß sie schwer zu bearbeiten sind (c). Prinzipiell kann man die Qualität des Bodens verbessern, wenngleich es einige Jahre dauern wird. Stalldünger und Kompost eignen sich für sandige wie tonige Böden; geschredderte Rinde (d) ist ein ideales Mulchmaterial, denn es verbindet sich später mit der Erde. Gemahlener Kalk (e) senkt den Säuregehalt des Bodens und sollte für schwere Tonböden verwendet werden. Scharfer Sand (f) bricht Lehmböden auf und verbessert den Wasserabzug.

Unten: Set zur Messung des pH-Werts.

tut einem die Natur nicht immer diesen Gefallen: Viele Gärten haben leichte, sandige Böden, die das Wasser und damit die Nährstoffe schnell durchsickern lassen. Andere hingegen bestehen aus schweren tonhaltigen Böden, die entweder kalt und staunaß sind oder ziegelhart austrocknen.

Dennoch besteht die Möglichkeit, den Boden entweder durch entsprechende Bearbeitung oder durch Zusatz bodenverbessernder Stoffe aufzuwerten. Der erste Schritt zur Verbesserung des Bodens ist die Kenntnis seiner Zusammensetzung. Um herauszufinden, ob er vorwiegend sandig oder tonhaltig ist, füllt man ein kleines, verschließbares Reagenzglas zu 1/4 mit Gartenerde und gießt zu 3/4 mit Wasser auf.

Anschließend schüttelt man diese Mischung kräftig und wartet, bis sie sich gesetzt hat: Als erstes sinken Steine ab, daraufhin grober, später feiner Sand, dann Silt und zuletzt die feinen Tonpartikel. Organische Teile schwimmen an der Oberfläche. Das Verhältnis dieser Komponenten zeigt die Beschaffenheit des Bodens an.

Ein weiterer Test besteht darin, einige Bodenkrumen zwischen Daumen und Zeigefinger zu verreiben. Fühlt sich die Masse glatt und fettig an, ist der Tongehalt hoch, hingegen rauh und grob, überwiegt Sand.

Darüber hinaus kann man etwas Erde anfeuchten, sie zu einem dünnen Strang ausrollen und schließlich zu einem Ring drehen. Je enger sich der Ring ohne Brüche formen läßt, desto höher ist der Tonanteil.

Alkalisch oder sauer? Der Säuregrad des Boden wird als pH-Wert gemessen; die Skala reicht von 0 bis 14; 7 gilt als neutraler Wert. Böden mit pH-Werten unter 7 reagieren zunehmend sauer, über 7 zunehmend alkalisch. Die meisten Pflanzen gedeihen am besten auf einem leicht sauren Boden mit einem pH-Wert um 6,5.

Mit Hilfe eines Sets für Bodenproben läßt sich der pH-Wert genau bestimmen. Man vermischt etwas Erde mit Wasser, taucht einen Teststreifen ein und vergleicht dessen Färbung mit einer Farbskala. Noch genauere Ergebnisse erzielt man durch Zuhilfenahme eines pH-Meters.

Wie man den Boden verbessert

Jede Art von Boden läßt sich verbessern, wenngleich es oft ein langwieriger Prozess ist.

Lehmböden: Oft mit Wasser vollgesogen, sind diese Böden im Winter mühsam und zäh zu bearbeiten, während sie im Sommer steinhart und rissig werden. Durch eine Drainage kann zwar überflüssiges Wasser abfließen, doch wichtiger ist es, den Boden durch das Einbringen von viel organischem Material aufzulockern. Im Gemüsegarten läßt sich durch zweimaliges Umgraben im Herbst die Belüftung des Bodens fördern.

Sandige Böden: Diese leichten Böden lassen sich einfach bearbeiten, erwärmen sich im Frühling rasch und eignen sich für frühe Aussaaten. Leider waschen aber die Nährstoffe in diesen Böden leicht aus, so daß jedes Jahr organischer Dünger oder Gartenkompost eingebracht werden muß. Geben Sie bei heißem, trockenem Wetter zusätzlich eine Schicht Mulch darauf, um die Bodenfeuchte zu halten, und wässern Sie regelmäßig.

Saure Böden: Bestreuen Sie diese Böden im Winter entweder mit gelöschtem oder gemahlenem Kalk. Die notwendige Menge richtet sich nach dem pH-Wert, dem Bodentyp sowie der Art des Kalks. Folgende Mengen senken den Säuregrad um 1 pH ab:

Boden	Gelöschter Kalk	Gemahlener Kalk
TONIG	600 g	800 g
LEHMIG	400 g	550 g
SANDIG	200 g	275 g

Alkalische Böden: Arbeiten Sie soviel wie möglich organischen Dünger oder Gartenkompost ein, und verwenden Sie saure Mineraldünger wie schwefelsaures Ammoniak.

DEN BODEN VORBEREITEN

Wenngleich einige Teile der Erde äußerst unwirtlich erscheinen mögen, so bieten sie dennoch die erforderlichen Voraussetzungen für verschiedenste Pflanzenarten: Sogar in der eiskalten Tundra von Alaska und Sibirien, den Sümpfen der Everglades in Florida oder dem windumtosten Feuerland existiert eine reichhaltige Vegetation.

Es erscheint deshalb naheliegend, daß der Gärtner sich auf einheimische Pflanzenarten konzentriert. Doch das Ver-

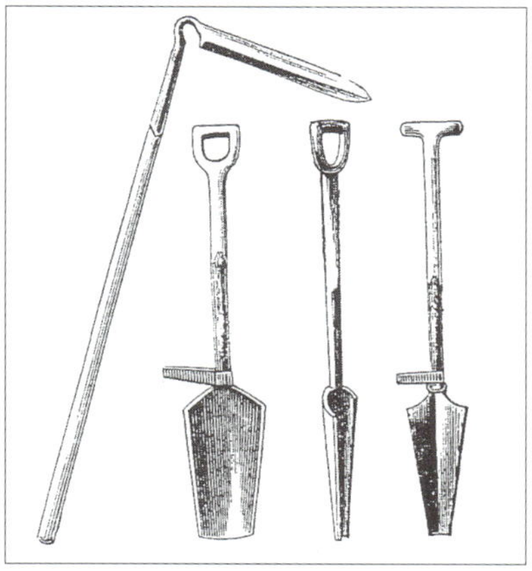

langen nach exotischen Gewächsen ist so mächtig geworden, daß er stets danach trachten wird, Pflanzen vom anderen Ende der Welt zu importieren! So findet man alpine Pflanzen, die einst nur in hohen Bergregionen zu finden waren, jetzt in flachen, temperierten Gegenden, und Rosen, die den gemäßigten Regionen der nördlichen Hemisphäre entstammen, heute auch in den tropischen und trockenen Gegenden Australiens. Der Erfolg der Züchtung hängt jedoch überwiegend davon ab, wie gesund und fruchtbar der Boden ist.

Die Drainage

Überschüssiges Wasser muß ins Erdreich sickern können, denn sonst gelangt nicht genügend Sauerstoff an die Wurzeln, und die Pflanze stirbt ab. Ein staunasser, durchtränkter Boden bringt das Wachstum vieler nützlicher Organismen zum Erliegen.

Stauwasser bildet sich meist in stark lehmig-tonigen Böden mit sehr feiner Bodenstruktur. Dagegen drainieren

MYTHEN UND LEGENDEN

Fruchtbarkeitsgöttinnen spielten eine wichtige Rolle in frühen Kulturen und Religionen. Die Azteken verehrten die Göttin Coatlicue.

Oben Mitte: Solche Drainagegeräte waren Ende des 19. Jahrhunderts in Gebrauch. Man hob damit die Gräben aus, in welche Tonröhren verlegt wurden.

Links: Azaleen schaffen im Frühling ein Fest der Farbe und sind ideal für saure Böden.

Verschönerung des Gesichts

Die amerikanischen Ureinwohner verwendeten nicht nur Farbstoffe von Pflanzen und Tieren, sondern auch Erden, um das Gesicht und den Körper zu verzieren. Die alten Ägypter (oben) zogen Erde und Lehm als Körperbemalung vor, während die Römer schon Kosmetika kannten. So benutzte Nero Bleiweiß und Kalk, um sich weiß zu schminken.

sandige Böden von sich aus leichter, leiden jedoch im Sommer an Wassermangel.

Wenn Ihr Garten im Winter unter Wasser steht und dieser Zustand über Wochen anhält, ist die Anlage einer Drainage unabdingbar. Das Auftreten von Binsen und Riedgräsern ist ein weiterer Indikator dafür.

Eine Meßmethode ist das Ausheben eines Probeloches: Dazu gräbt man im Winter ein tieferes Loch und beobachtet den Wasserspiegel bis zum zeitigen Frühjahr. Hält sich das Wasser an der Bodenoberfläche, muß drainiert werden. Decken Sie aber das Loch ab, um Unfälle zu vermeiden!

Andererseits böte sich hier eine wunderbare Gelegenheit, einen Sumpfgarten anzulegen.

Drainageanlagen

Die einfachste Entwässerungsanlage ist ein offener Graben um die fragliche Stelle herum; obgleich dieses Verfahren in der Landwirtschaft praktiziert wird, eignet es sich nicht für Gärten. Darüber hinaus legte man auch kleinere Gräben an (sog. offene Drainage), die in einen Hauptgraben entwässern.

Später ging man dazu über, Buschholz (meistens Esche) in die Gräben einzustampfen und mit Erde zu verfüllen, so daß sich eine ebene Bodenfläche ergab. Diese Buschholz-Drainagen wirkten am besten in harten, lehmigen Böden.

Eine Weiterentwicklung dieser Methode bestand darin, die Gräben etwa zur Hälfte mit Schotter zu füllen; dabei waren runde Steine geeigneter als scharfkantige. Grassoden wurden kopfüber aufgelegt, um die Drainage nicht mit der abfallenden Erde zu verstopfen.

Heutzutage verwendet man einfache oder doppelte Lagen aus Plastikfolie, um die Steine von Erde frei zu halten.

Obgleich die Schotterdrainage scheinbar einfach anzulegen ist, waren damit auch Probleme verbunden:

Es gab manchmal nicht genügend passende Steine; die Steinladungen konnten zur Winterzeit, wenn Drainagenanlagen normalerweise notwendig sind, nicht mit Pferdewagen über die durchnäßten Felder und Landwege gefahren werden.

Verwendung fanden auch hufeisenförmige Ziegel, wenngleich sie teuer und relativ selten waren. Ab etwa 1845 wurde mit der Möglichkeit, Tonröhren kommerziell und in großer Stückzahl herzustellen, ein Drainageverfahren entwickelt, das für viele Jahre zum Standard gehörte.

Drainageröhren Bis ins 20. Jahrhundert hinein waren die unglasierten Tonröhren in Gebrauch: für die Hauptstränge etwa 12 Zoll lang und 5 Zoll breit; für die Nebenstränge etwa 4 Zoll. Die Verlegung erfolgte in einem verdeckten Grabensystem mit leichtem Gefälle zum offenen Graben oder einer Niederung hin.

Heutzutage verwendet man perforierte, flexible Plastikrohre, mit einem Durchmesser von ca. 10 cm und in Längen von etwa 25 m, die sich wesentlich leichter verlegen lassen.

Dazu hebt man Gräben von etwa 70 cm Tiefe und etwa 40 cm Breite aus. Auf eine Schotterkies-Schicht von 5 cm legt man die Plastikrohre. Die Verbindung mit einem Nebenrohr muß dicht sein; das Ganze wird mit einer doppelten Lage aus dicker Plastikfolie abgedeckt, die gut 50 cm überstehen muß. Auf das Plastikrohr schaufelt man eine Füllung Schotterkies in einer Stärke von etwa 10 cm und deckt dann den Rest mit Mutterboden ab.

Schön und gesund mit Erde und Schlamm

In der Medizin und Kosmetik hat Erde seit langem eine große Bedeutung. Heilerden werden meist aus den Ablagerungen an warmen Quellen gewonnen, und ein Bad damit wirkt wie eine Fangopackung.

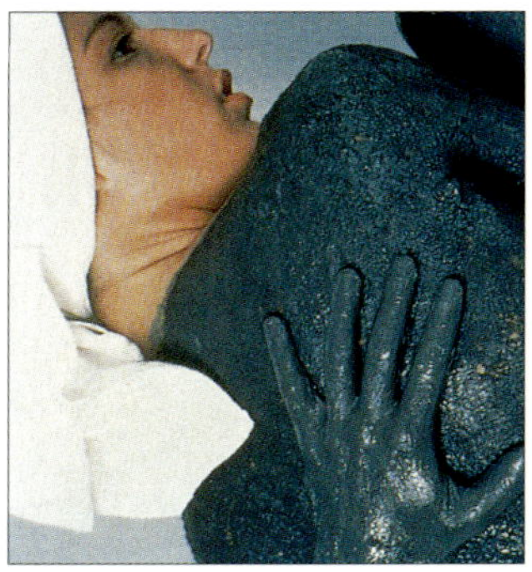

Die Körpertemperatur steigt an, und der Puls erhöht sich um 6 bis 12 Schläge pro Minute. Die Atmung intensiviert sich, und der Patient atmet tief durch. Vor allem Rheumatismus und Gicht werden mit solchen Schlammbädern behandelt.

In der Schönheitspflege verwendet man Heilpackungen, die früher unter Zusatz von Glyzerin und Benzoin sogenannte Absorptionserde enthielten. Die einzelnen Kurorte arbeiten jedoch mit jeweils eigenen Mixturen. Im alten Rom verwendete man übrigens Krokodildung als Gesichtspackung!

Wenige Gärtner werden einen vorhandenen Graben oder Bach in der Nähe ihres Grundstücks haben, in welchen überschüssiges Wasser abfließen kann. Falls Sie in der glücklichen Lage sein sollten, lassen Sie das auslaufende Rohrende etwa 10 cm überstehen. Dabei muß der Auslauf auch bei den winterlichen Wassermassen noch hoch genug liegen. Denken Sie auch daran, das Ende mit Kaninchendraht oder einem Netz aus Plastik vor unliebsamen Eindringlingen zu schützen.

Eine Sickergrube kann man leicht selbst ausheben. Dazu gräbt man ein Loch von 1 m^3, das 35 cm tiefer als der Drainageauslauf ist. Diese Sickergrube füllt man zur Hälfte mit größeren Steinen oder sauberem Ziegelbruch an, daraufhin mit grobem Kies bis etwa 25 cm unterhalb der Erdoberfläche. Darüber legt man entweder eine doppelte Lage aus Plastikfolie oder kopfüber gelegten Grassoden. Den Rest füllt man mit Mutterboden auf.

DEN BODEN KULTIVIEREN

Da das Urbarmachen von Land mit dem Abholzen des Baum- und Strauchbestands beginnt, entstanden vermutlich die ersten Aussaatkulturen entlang des Nildeltas sowie im Becken von Euphrat und Tigris. Dort ist der Mutterboden fruchtbar und tief, und der geringe Niederschlag läßt nur wenig Hölzer aufwachsen. In warmen, ausgeglichenen Klimazonen mit jährlichen Überschwemmungen – diese hoben zunächst den Grundwasserstand an, um beim Abtrocknen der Äcker immer genügend Wasser zu speichern – konnte der Bauer der Frühzeit mit verhältnismäßig einfachen Geräten auskommen.

Die Bearbeitung mit dem Spaten, dem Pflug oder der Grabegabel bricht den Boden auf und läßt Luft und Wasser eindringen. Die alten Ägypter erfanden einen hölzernen Pflug, der von einem Ochsengespann gezogen werden konnte. Doch Pflugscharen aus Holz verschleißen rasch und brechen. Es dauerte noch bis zum 18. Jahrhundert, ehe die Entwicklung moderner Pflüge mit James Small in Schottland und Thomas Jefferson in den USA einsetzte. Schon im Mittelalter wußte man hölzerne Spaten an den Außenkanten mit Metallstreifen zu verstärken.

Natürlich waren handbetriebene Geräte seit frühester Zeit in Gebrauch, und einige Pflüge wurden mit dem Fuß oder unter Zuhilfenahme des Brustkorbes durch den Boden getrieben.

Umgraben Um den Boden gesund zu halten und für die kommende Aussaat oder Anpflanzung vorzubereiten, ist es von großer Wichtigkeit, den Boden regelmäßig umzugraben. Dadurch gelangt nicht nur mehr Sauerstoff in das Erdreich, sondern auch Frost, Wind und Regen können zudem auf den gelockerten Boden einwirken und schaffen so eine feine Bodengare, in die im Frühjahr eingesät wird. Ferner werden Unkräuter vom vergangenen Jahr untergraben; Larven von Schädlingen, wie dem Maikäfer, fallen Frost und Vögeln zum Opfer.

Einfaches und zweifaches Umgraben sind die gebräuchlichsten Verfahren. Es gibt aber noch andere Techniken, wie

Oben: Im Mittelalter bestand der Spaten aus festem Holz, wobei die Schnittfläche mit Metall verstärkt war.

Links: Der Adlige Sennufer nimmt den Duft einer Lotusblüte in sich auf, während ihm seine Ehefrau zur Seite sitzt. Lotus und Papyrus sind die beiden Symbole für Oberägypten.

Unten: Moorbeete lassen sich gut anlegen, wo das Land von Natur aus feucht ist. Setzen Sie dort feuchtigkeitsliebende Pflanzen, wie z.B. niedrige Primeln und Sumpfschwertlilien (*Iris ensata* sowie *Iris laevigata*).

das Aufwerfen von Furchen, die jeweils 50 cm auseinander liegen und etwa 15 cm hoch sind. Damit verbessert man den Wasserablauf am Hang und schafft zusätzlich eine feinere Krümelstruktur für das Frühjahr. Beim gemischten Umgraben hebt man in doppelter Spatentiefe aus und gräbt die Sole ihrerseits in Spatentiefe mit der Grabegabel auf.

VENEZIANISCHE GARTENWERKZEUGE

Diese Abbildung aus dem „Giardino di Agricultura" erschien im Jahre 1593 in Venedig. Viele Werkzeuge sind auch heute noch in Gebrauch, darunter Spaten, Hacken, Sicheln, Hippen, Sägen und Rechen.

Einfaches Umgraben in Spatentiefe ist die gebräuchliche Methode, bei der die einjährigen Unkräuter vergraben und Gartenkompost beziehungsweise verrotteter Mist eingearbeitet werden.

Hierzu markiert man an der Kante eines Rasenstücks einen Streifen von ca. 30 cm Breite, den man spatentief aushebt. Diesen Aushub transportiert man an die gegenüberliegende Seite des zu bearbeitenden Stückes. Nun gräbt man systematisch in Spatentiefe entlang des ersten Streifens immer weiter durch sorgfältiges Umdrehen der Schollen, die 10 cm dick und 20 cm breit sind.

Rechts: Das Umgraben in Spatentiefe ist die gebräuchlichste Methode, den Gartenboden im Winter vorzubereiten. Markieren Sie dazu einen ca. 30 cm breiten Streifen auf dem entsprechenden Gartenland (oben links). Stechen Sie dann mit einem Spaten eine Schicht Grassoden ab (oben rechts). Heben Sie sodann die erste Reihe aus; den Aushub verbringen Sie an das andere Ende des umzugrabenden Gartenlandes (unten links). Graben Sie systematisch Reihe um Reihe um, indem Sie die Schollen sorgfältig umdrehen (unten rechts). Am Ende füllen Sie den Aushub der ersten Reihe in die zuletzt aufgegrabene ein.

Man entfernt und entsorgt alle Wurzelunkräuter wie Ampfer, Distel, Schachtelhalm, Winde oder Quecke. Die Arbeit wird beendet mit dem Einfüllen des ersten Aushubs in den zuletzt ausgehobenen Graben. Die umgegrabene Fläche sollte möglichst eben sein.

Zweifaches Umgraben Diese Methode wendet man nur an, falls der Boden jahrelang brach lag oder Grasland zu Gartenland werden soll, ferner bei schwacher Drainage.

Wie oben geschildert markiert man dieses Mal einen Streifen von ca. 70 cm Breite. Man gräbt dann einen kleinen Graben von ca. 30 cm Tiefe und bringt den Aushub an das andere Ende des umzugrabenden Stückes.

Die Grabensole lockert man spatentief mit der Grabegabel auf. Gras und Unkrautbewuchs sticht man von der nächsten Reihe ab und legt es auf die aufgelockerte Sole. Dann wird der nächste Streifen umgegraben, wobei dieser Aushub in die erste Reihe kommt. So verfährt man bis zum Ende, wobei der allererste Aushub zum Schluß in die letzte Reihe eingefüllt wird.

DÜNGEN

Böden fruchtbar und nährstoffreich zu erhalten, so daß dasselbe Stück Land über Jahre hinweg bepflanzt werden kann, ist ein alter Wunsch der Bauern und auch heute noch ein wichtiger Aspekt im Gartenbau. Leider wurde durch die Brandrodungswirtschaft der letzten Jahrzehnte den Böden wichtige Nährstoffe entzogen. Wo indes Flüsse ihren Schlamm über die angrenzenden Felder schwemmen konnten, blieben sie weiterhin fruchtbar.

Selbst die Römer kannten Methoden der Düngung, sie verwendeten Mist. Das war eine gute Möglichkeit, solange das Vieh in Einzäunungen gehalten wurde, wie in Europa üblich. Doch mit der Ausbreitung der Landwirtschaft in Nordamerika wurde das Vieh frei gehalten, so daß der Mist nicht gesammelt werden konnte.

Als das Land ausgezehrt und schließlich unfruchtbar wurde, ließ man es oft Jahrzehnte brach liegen. Wesentlich später griffen die Farmer in Neuengland auf Fisch und Tang zurück (ein struppiges, braunes Kraut, das auf Felsen im Meer wächst), während man in den Südstaaten Mergel und Kuherbsen (eine wuchernde, erbsenähnliche Pflanze) als Düngung zufügte. Schlamm aus Sümpfen und Bächen wurde für die Verbesserung sandiger Böden verwendet. Um die Mitte des 19. Jahrhunderts begannen die Farmer Nordamerikas, Vogeldünger aus Peru, Salpeter aus Chile und Phosphate aus Carolina zur Steigerung der Ernten einzusetzen.

Links: „Der Frühling" des flämischen Malers Jacob Grimmer (um 1525–1580) zeigt Gärtner beim Harken, Säen, Umgraben, Einpflanzen und Ausschneiden.

VERSCHIEDENE DÜNGEMITTEL

Heutzutage gibt es Düngemittel aller Art auf dem Markt. Sie fördern Belüftung und Drainage, aber auch das Leben jener Bodenorganismen, die die Nährstoffe für die Pflanzen verfügbar machen.

Tierdung

Als Pferde-, Kuh- oder Hühnermist wird er seit langem zur Auflockerung des Bodens und zur Nährstoffversorgung, z. B. mit Stickstoff, verwendet. Er enthält zudem lebensnotwendige Spurenelemente.

Der Mist wird am besten im Spätherbst mit eingegraben oder als Mulch aufgebracht. Er muß etliche Wochen abgereift sein, sonst stellen sich Verbrennungsschäden an den Pflanzen ein.

Torf

Er wird hauptsächlich verwendet, um die Wasserrückhaltekraft leichter, sandiger Böden zu verbessern. Doch der Torfabbau schädigt die naturgegebene Umwelt vieler Tier- und Pflanzenarten, so daß man heute nach Alternativen suchen muß.

Gartenkompost

Die zersetzten Gartenpflanzen sowie organischen Abfälle aus der Küche sind für den Boden ideal. Man kann sie zu freistehenden Haufen aufsetzen, besser geeignet sind jedoch Kompostierbehälter.

Kompost aus Pilzen

Er verbessert sowohl die Bodenbelüftung als auch die Speicherkapazität von Wasser. Wegen seiner alkalischen Wirkung eignet er sich am besten für saure Böden.

Hopfenrückstände

Die Rückstände, die beim Brauen von Bier entstehen, sind ideal als Zusatz für leichte, sandige Böden und fördern die Speicherkapazität.

Meerespflanzen

In vielen Küstengegenden haben Tang und Algen einen hohen Stellenwert in der Düngung. Meist bei Stürmen auf den Strand geworfen, kann man sie leicht aufsammeln. Im Vergleich zu Stallmist hat Meerestang etwas weniger Gehalt an Stickstoff und Phosphat, dafür einen höheren Kaliwert. Dieses Düngemittel eignet sich auch für die Verbesserung des Wasserhaushalts in sandigen Böden; allerdings sollte man es einbringen, bevor sie völlig austrocknen.

Unten: Frösche, Kröten, Blindschleichen und Igel, die bedeutende Mengen an Schnecken vertilgen, kann man durch die Anlage von Teichen in den Garten locken.

Sand

Wenngleich er bei größeren Flächen teuer kommt: Grober Sand verbessert die Drainage schwerer Tonböden.

Hochbeete anlegen

Überall, wo es übermäßig feucht und das Drainieren schwierig ist, bieten Hochbeete eine gute Alternative. Heben Sie im vorgesehenen Bereich den Boden aus und bringen Sie saubere Kieselsteine ein. Stellen Sie stabile Seitenwände auf (mit Natursteinen, Ziegeln, Holzplanken oder kräftigen Pfählen), und füllen Sie das Beet mit gut durchlässigem Mutterboden auf. Wenn sich die Erde gesetzt hat, können Sie pflanzen.

Durch entsprechendes Material zum Auffüllen eignen sich Hochbeete auch, wenn der Boden zu alkalisch beziehungsweise zu sauer ist. Auf diese Weise kann man wesentlich mehr Pflanzenarten kultivieren.

Die gute Fruchtfolge

Im Gemüsegarten sollte man darauf achten, verschiedene Pflanzenkulturen anzubauen, damit dem Boden nicht ständig dieselben Nährstoffe entzogen werden. Zudem beugen Sie dadurch der Ausbreitung von Schädlingen und pflanzenspezifischen Krankheiten vor. Über mehrere Jahre gesehen, erfährt der gesamte Garten eine abwechslungsreiche Bearbeitung.

Beim Anbau von Kartoffeln wird der Boden mehrfach um die Pflanze angehäufelt; dies hemmt den Unkrautwuchs und fördert den gewünschten krümeligen Boden.

Mischkulturen

Bei dieser Anbaumethode kultiviert man schnell wachsende Pflanzen, wie Radieschen und Kopfsalat, zusammen mit langsamer reifenden Gewächsen, wie z. B. Porreee und Sellerie.

Nicht jedes Gemüse hat einen gleich hohen Bedarf an Kalk und Nährstoffen. Für Kartoffeln ist weder Kalk noch zusätzliche Düngung nötig; während Kohl (Weiß-, Rot-, Blumen-, Rosenkohl) zwar gedüngt wird, aber nur in sauren Böden Kalk benötigt; eine großzügige Düngung mit Gartenkompost oder verrottetem Mist ist dagegen erforderlich bei Gemüsen wie Bohnen, Erbsen, außerdem bei Kopfsalat, Auberginen, Zwiebeln, Kürbissen und Mais.

Da es verschiedene Konzepte für eine zweckmäßige Fruchtfolge gibt, wird hier ein Schema für 3 Jahre vorgestellt:

Einrichtung der Fruchtfolge
Man teilt ein Gemüsebeet in drei gleiche Bereiche, welche man nach der unten beschriebenen Fruchtfolge bepflanzt:

Gruppe 1 besteht aus Wurzelgemüsesorten wie Rote Beete, Möhren, Pastinaken, Schwarzwurzeln, Artischocken.

Kartoffeln werden üblicherweise auch zu dieser Gruppe gerechnet. Zur Vorbereitung gräbt man im Winter um, ohne Kalk oder andere Düngermittel. Erst wenige Wochen vor der Aussaat oder Pflanzung recht man einen Volldünger ein.

Gruppe 2 enthält Rosenkohl, Kohl, Blumenkohl, Winterkohl, Kohlrabi, Radieschen, Rüben und Steckrüben.

Zur Vorbereitung gräbt man im Winter unter Zugabe von Gartenkompost oder feingesiebtem Mist um. Handelt es sich um einen sauren Boden, empfiehlt es sich zu kalken – jedoch nicht gleichzeitig mit der Nährstoffgabe. Später fügt man noch Volldünger hinzu, der einige Wochen vor der Aussaat oder Pflanzung eingearbeitet wird.

Gruppe 3 beinhaltet Auberginen, Bohnen, Paprika, Sellerie, Gurken, Chicorée, Lauch, Kopfsalat, Kürbis, Zwiebeln, Erbsen, Spinat, Mais und Tomaten.

Zur Vorbereitung wiederum im Winter umgraben unter Zugabe von Kompost oder Mist sowie etwas Kalk, falls der Boden sauer ist. Auch hier Nährstoff- und Kalkgabe trennen. Wenige Wochen vor der Aussaat oder der Pflanzung einen Volldünger einarbeiten, um den jungen Pflanzen einen guten Start zu ermöglichen.

Feuchtigkeit im Boden speichern

Seit altersher hat man nach Mitteln gesucht, die Verdunstungsrate von der Bodenoberfläche zu bremsen, besonders in sonnenreichen Gegenden mit wenig Regen. Die Römer verwandten Steine zur Abdeckung; Dichter wie Vergil

Links: Hochbeete beugen Staunässe und Kälte in der Gartenerde vor. Bringen Sie viel Gartenkompost ein, um die Fruchtbarkeit zu gewährleisten und die Bodenfeuchte zu erhalten.

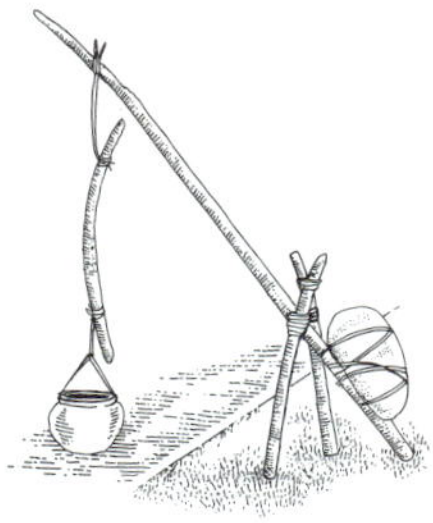

DER SCHADUF

Mit dieser Vorrichtung aus alter Zeit schöpften die Ägypter Wasser aus dem Nil, um ihre Kulturen zu bewässern. Sie besteht aus einem Schwenkarm mit Gegengewicht, so daß der Wassereimer abgesenkt und ohne Mühe heraufgebracht werden konnte.

(1. Jahrhundert v.Chr.) und Lucius Columella (1. Jahrhundert n.Chr.) empfahlen diese Methode besonders bei Weintrauben und Aprikosen.

Eine weitere Methode, Feuchtigkeit im Boden zu speichern, besteht im Aufhacken des Bodens beziehungsweise Abhacken der Unkräuter.

Vorteile des Mulchens

Zu den vielen Vorteilen des Mulchens gehört neben der Steigerung der Wasserrückhaltekraft des Bodens auch die Isolierung empfindlicher Wurzeln bei hohen beziehungsweise niedrigen Temperaturen, u. a. bei Bodenfrost. Böden ohne Mulchdecke neigen bei heftigem Regen zur Verschlämmung und bespritzen die Pflanzen, wie oft bei Erdbeeren der Fall. Mulch in Form von Gartenkompost oder verrottetem Mist schafft zusätzliche Fruchtbarkeit. Es gibt sowohl organischen wie anorganischen Mulch.

Organischer Mulch

Mulch entsteht aus pflanzlichen oder tierischen Abfällen, die sich mit der Zeit zu Nährstoffen für Pflanzen umwandeln.

Wenn Sie im Frühjahr oder frühem Sommer die Mulchschicht aufbringen, sollten Sie alle Unkräuter beseitigen (vor allem alle Wurzelunkräuter sollten sorgfältig ausgegraben werden) und den Boden gründlich bis zu einer Tiefe von ca. 10 cm gießen. Selbst wenn keine Unkräuter zu sehen sind, sollten Sie die Bodenoberfläche aufhacken, damit das Wasser gut eindringen kann und nicht gleich auf der harten, undurchlässigen Oberfläche abläuft.

Gegenüberliegende Seite: Kohl mit schönem dunklem Blattwerk schafft zwischen Zierpflanzen völlig neue Variationen von Farben, Formen und Größen.

Rechts: Eine Mulchabdeckung zwischen den Gartenpflanzen hemmt den Unkrautbewuchs, hält die Bodenfeuchtigkeit länger und erhöht die Fruchtbarkeit. Als erstes muß man jedoch die Unkräuter ausgraben beziehungsweise die einjährigen hacken.

Die Mulchschicht um die Pflanzen herum sollte ca. 5–10 cm stark sein, jedoch die Pflanzen selber nicht bedecken. Im Laufe des Sommers zersetzt sich die Mulchschicht allmählich, und bis zum Herbst dürfte wenig davon übriggeblieben sein. Im Spätherbst oder frühem Winter hacken Sie verbliebenes Mulchmaterial leicht in den Boden ein und achten darauf, die Wurzeln der Bäume, Sträucher und Stauden nicht zu beschädigen.

Mist ist das ideale Mulchmaterial, da er die Pflanzen maximal mit Nährstoffen versorgt. Ein Nachteil könnte sein, daß der Wind das Stroh im Garten umherweht.

Gartenkompost entsteht aus Küchen- und Gartenabfällen. Nach Verrottung bildet er einen idealen Zusatz.

Torf gehörte früher zu den meist empfohlenen Mulcharten; heute weiß man, daß der Abbau die Lebenswelt vieler Tierarten zerstört. Nachteil des Torfmulches ist, daß er schnell austrocknet und dann leicht durch Wind oder Vögel auseinandergerissen wird.

Rindenspäne sind nicht nur schön anzusehen, sondern besonders in Ziergärten, z. B. um Bäume und Sträucher herum, zweckmäßig. Leider verstreuen Vögel die Späne gerne in trockenen Hitzeperioden.

Holzschnitzel erhält man durch das Schreddern ganzer Stämme und Zweige. Eine recht preiswerte Methode der Mulchherstellung, wenn man sich eine Schreddermaschine leiht und sie im eigenen Garten nutzt.

Gemähtes Gras ist ebenfalls häufig leicht verfügbar. Es ist jedoch Vorsicht geboten, falls der Rasen kurz zuvor mit Chemikalien behandelt wurde. Man sollte hiervon keinesfalls mehr als etwa 3 cm aufbringen und nicht direkt an die Stengel der Pflanzen anlegen. Da er lange feucht bleibt und sich erwärmt, bietet er vielen Schnecken Unterschlupf.

Stroh wird häufig als Mulch in Erdbeerreihen verwendet, um bei Schlagregen die Früchte nicht zu beschädigen. Auch bei feuchtem Wetter kann man dann noch gut in die Reihen gehen. In warmen Gegenden kann sich Stroh leicht entzünden; trocknet es stark aus, wird es zudem sehr leicht und weht umher. Bei Herbstanfang ist es meist noch nicht verrottet; die Zersetzung entzieht dem Boden zudem viel Stickstoff.

Sägemehl war früher häufig in Gegenden der Holzverarbeitung verbreitet. Leider klebt es in feuchten Perioden leicht, während es bei trockenem Wetter umherweht.

Zeitungspapier rechnet man manchmal zu nichtorganischem Mulch; da es aber aus Holz gewonnen wird, fällt es eigentlich in die Rubrik der organischen Stoffe.

Andere Materialien Dazu gehören Obstgärten mit einer Naturwiese oder Unterpflanzung mit Kulturen wie Gras oder Klee oder Luzerne.

Von Vorteil ist, daß das vegetative Wachstum der Obstbäume etwas langsamer, dafür die Ausbildung der Früchte früher vor sich geht. Auch wird das Obst schöner.

Besonders aus Nordamerika kennt man eine Reihe anderer organischer

Bestandteile zum Mulchen, wie z. B. Spelze von Buchweizen und Baumwolle für Rosen, gemahlene Maiskolben und Tabakstengel für Iris, Lilien, Rosen und Päonien. In den südlichen Staaten brachte man Kiefernnadeln in Erdbeerkulturen ein.

Nicht-organische Mulche

Schwarze Plastikfolie ist praktisch, um die Verdunstung und den Unkrautbewuchs zu vermindern. Wird die Folie im zeitigen Frühjahr aufgebracht, erwärmt sich der Boden schneller, so daß man eher mit den Gartenarbeiten beginnen kann.

Teppichreste verwendet man meist im Gemüsegarten. Nachteil bei feuchtwarmem Wetter: Es sammelt sich darunter alles mögliche Getier wie Schnekken, Ohrwürmer, Tausendfüßler usw.

MENSCHEN ESSEN ERDE

Der Mensch praktiziert seit alters her den Verzehr gewisser Erden: zu Heilzwecken, zur Erhöhung der Vitaminzufuhr oder anlässlich religiöser Rituale.

So mischten die amerikanischen Ureinwohner ihren Gerichten aus Eicheln Erde bei: ein Teil Lehm auf 20 Teile zerstoßene Eicheln. Der Lehm sollte die Mischung aufgehen lassen und dem Brotfladen eine spezielle Süße geben.

Gegen Ende des 19. Jahrhunderts wurde berichtet, daß man in den schottischen Highlands nach schweren Mahlzeiten Gebäck aus Eisenmangan reichte. In Neuguinea wurde Speckstein verzehrt (auch als Steatit bekannt). Die Kopfjäger auf Borneo bevorzugten eine Mischung aus rotem Ockergestein und öligem Lehm, während die Hopi-Indianer in Nordamerika Lehm mit Kartoffeln mischten.

UMWELTFREUNDLICHES GÄRTNERN

Der Verzicht auf künstliche Dünge- und Pflanzenschutzmittel hat eine steigende Tendenz, nicht nur im Garten, sondern auch in der Lebensmittelproduktion.

Umweltfreundliche Landwirtschaft ohne Einsatz von chemischen Mitteln wurde erstmals 1940 thematisiert. In den 60er Jahren veröffentlichte die Amerikanerin Rachel Carson „Der stumme Frühling", in welchem sie den hemmungslosen Einsatz von Pestiziden ablehnte und die bestehenden fatalen Folgen in der Nahrungsmittelkette bei Mensch und Tier nachwies. Das Aussterben von diversen Tier- und Pflanzenarten sollte uns eigentlich nachdenklich stimmen.

Rechts: Die Kohlfliege kann Kohl und andere Vertreter dieser Familie innerhalb kürzester Zeit ruinieren. Dies kann man mit einem Teppichrest oder einer ähnlichen Unterlage verhindern.

Natürliche Anbaumethoden

Die in organischen Düngern enthaltenen Nährstoffe müssen erst durch eine große Armee von Bodenorganismen aufbereitet werden, wie Würmer, kleinste Bakterien und Pilze. Da dieser Vorgang relativ langsam abläuft, haben organische Dünger eine langfristig anhaltige Wirkung.

Der Hauptvorteil des organischen Anbauverfahrens ist die Förderung wichtiger Bodenorganismen. Dadurch entsteht ein sich selbst regenerierender Prozeß, der im Laufe der Zeit immer effektiver wird.

Die Vorteile des organischen gegenüber dem nichtorganischen Verfahren sind:

Organische Dünger verbessern die Struktur des Bodens, so daß Sauerstoff eindringen kann und die Feuchtigkeit erhalten bleibt. Zusätzlich wird der Schaden durch Schlagregen minimiert.

Unkraut kann weitgehend durch Mulchen unter Kontrolle gehalten werden; denn die Verwendung von Herbiziden stört das natürliche Gleichgewicht, nicht nur im Garten, sondern auch im Gewässer.

Schädlingskontrolle und -vorbeugung können durch das Umgraben im Winter unterstützt werden. Larven von Schädlingen gelangen so mit an die Oberfläche und unterliegen dem Einfluß des kalten Wetters und ihrer natürlichen Feinde.

Ein Fruchtwechsel und eine Erweiterung der Artenvielfalt beugt dem Entstehen von Schädlingen und Krankheiten vor. Natürliche Teiche sind für Flora und Fauna unschätzbar und ziehen Frösche und Kröten an, die sich wiederum von Schnecken ernähren.

Auch Begleitpflanzen helfen, Schädlinge abzuschrecken: Knoblauch, Lauch und Zwiebeln übertönen das Aroma der Möhren, das die Möhrenfliege anzieht. Die grüne Blattlaus meidet Rosen, wenn ihnen Schnittlauch untergepflanzt wird.

Müssen Krankheiten behandelt werden, sollte man auf Bekämpfungsmittel organischer Herkunft zurückgreifen, wie Pyrethrum, Derris und Nikotin, die sich nicht im Boden einlagern.

Es gibt auch organische Fungizide. So wird die Kartoffel mit der sogenannten Bordeauxbrühe (Mixtur aus Kupfersulfat, Löschkalk, Wasser) gegen die Krautfäule behandelt.

Natürliche Räuber

Die Natur selbst spielt eine große und wichtige Rolle bei der Kontrolle von Schädlingen. Natürliche Räuber reduzieren den Befall der Pflanzen merklich. Deshalb bedürfen nützliche Insekten der Hege und sollten in den Garten gelockt werden, beispielsweise durch organischen Mulch. So locken Gruppenpflanzungen gelber Blumen die Schwebfliege an. Möhren, Gelbe Rüben und Fenchel fördern die Schlupfwespe und Florfliege. Spritzungen mit chemischen Mitteln dagegen töten sie.

Hier einige nützliche Insekten:

Schlupfwespen legen ihre Eier in Wirtstieren ab. Die Jungen schlüpfen dort aus und fressen den Wirt auf.

Braconiden gehen vorzugsweise an die sehr schädlichen Raupen des Kohlweißlings. Auch die Grüne Blattlaus wird angegriffen.

Chalciden attackieren verschiedene Schmetterlinge, Motten, Fliegen und Schildläuse. Es gibt verschiedene Arten: *Encarsa formosa* ist besonders effektiv bei der Bekämpfung der Weißen Fliege, die hauptsächlich im Gewächshaus vorkommt. Andere machen sich in Obstgärten über die Woll-Läuse her.

Die Grüne Florfliege sieht grazil aus, ist aber im Erwachsenen- wie im Larvenstadium ein gieriger Fresser von Blattläusen und anderen weichen Schädlingen.

Oben: Manche Schlupfwespen legen ihre Eier in anderen Tieren ab. Wenn die Jungen ausschlüpfen, haben sie reichlich Nahrung an Blattläusen und anderen Schädlingen im Garten.

Laufkäfer wie der Violette Laufkäfer sind sehr flink und haben starke Kiefer. Sie leben im Boden und vertilgen Gartenschädlinge im Larven- und im Erwachsenenstadium mit weichem Körper, so auch Schnecken und die Eier der Kohlfliege.

Schwebfliegen „stehen" mitten in der Luft. Einige Arten sind als Schädlinge anzusehen; doch viele entwickeln nützliche Larven, die z. B. die Grüne Blattlaus auffressen.

Ichneumoniden legen ihre Eier im Wirtstier ab. Sobald sie schlüpfen, höhlen sie ihren Wirt aus, bis nur noch die leere Hülle übrig bleibt. Manche Arten bekämpfen die Larven des Apfelknospenstechers.

Marienkäfer, sowohl im Früh- wie im Erwachsenenstadium, greifen die Grüne Blattlaus, Schildlaus und Thrips an. Es gibt viele verschiedene Arten des Marienkäfers, und ein ausgewachsenes Tier vertilgt an die 15 bis 20 Blattläuse pro Tag.

Kurzdeckenkäfer haben schmale Körper und leben in der Erde. Sie fressen als Erwachsene und Larven Milben und Puppen der Kohlfliege.

Brackwespe

Zehrwespe

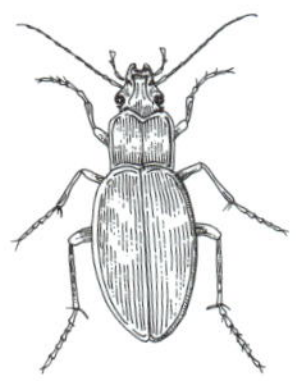

VIOLETTE LAUFKÄFER

Diese flinken Käfer mit den violetten Rändern am Rückenschild sieht man häufig zwischen Erdklumpen umherklettern. Sie vermeiden das direkte Sonnenlicht und suchen des Nachts ihre Beute, besonders, wo es feucht ist.

Maßnahmen im Pflanzenschutz

Verschiedene Behandlungsmethoden beugen dem Insektenbefall vor:

Bohnenfliegen lassen sich vermeiden, indem man die Spitzen von (im Herbst gepflanzten) Bohnen pinziert, sobald sich vier Schotenbündel gebildet haben).

Kohlfliegen fressen die Wurzeln von Weißkohl und anderen Kohlarten. Man kann sie mit Sackleinen abschrecken, das mit Treibstoff getränkt wird; so können sie die jungen Pflanzen nicht mehr wittern, auf denen sie ihre Eier ablegen.

Eine Alternative dazu ist eine Manschette aus einem Teppichrest von ca. 15 cm^2. Man schneidet es so zu, daß sich das Stück um den Wurzelhals legen läßt.

Möhrenfliegen kann man wie schon die Kohlfliege durch getränkte Tücher vertreiben. Darüber hinaus lassen sich die Schädlinge durch abgemähtes Gras zwischen den bepflanzten Reihen verjagen.

Apfelwickler bohren zur Fortpflanzung Äpfel an, um mit dem Fruchtfleisch ihre Maden zu ernähren. Spritzen ist eine Möglichkeit; eine andere besteht darin, zur Mittsommerzeit um Stamm und größere Zweige Sackleinen zu legen, das man im Winter entfernt und verbrennt.

Nackt- und Gehäuseschnecken sind eine große Plage besonders bei feuchtwarmem Wetter. Man kann im Handel erhältliche Köder verwenden oder tiefe Teller mit einer Mischung aus Bier und Zucker aufstellen. Die Schnecken werden davon angezogen und ertrinken oder werden bewegungslos. Man kann sie dann aufsammeln und vernichten. Aber achten Sie darauf, daß keine Igel an diese Flüssigkeit gelangen.

Weiße Fliegen kann man fernhalten, indem man Kresse oder Tagetes als Einfassung der Gemüsebeete setzt.

Einen Komposthaufen anlegen

Recycelte Garten- und Küchenabfälle sind ein unschätzbares Material, das in den Boden eingearbeitet oder als Mulch verwendet werden kann.

Abgemähtes Gras, einjährige Unkräuter, weiche Teile von Heckenabfällen wie auch Gemüseabfälle aus der Küche können in die feinkrümelige, gut riechende Masse verwandelt werden, die ideal für den Boden geeignet ist.

Am besten baut man sich drei gut belüftete Behälter von ca. 1 m^2 Grundfläche und 1 m Höhe, die einer gewissen Abfolge unterliegen. Zunächst füllt man in den ersten Behälter die frischen Abfälle aus Küche und Garten; im zweiten soll sich das Material langsam zersetzen; und der dritte enthält bereits den zum Verbrauch bestimmten fertigen Kompost.

TIERE FRESSEN ERDE

Viele Tiere fressen Erde, um Schmerzen zu lindern oder um ihre Nahrung zu bereichern. Schimpansen kennen die wohltuende Wirkung der Erde, wenn sie unter Magenverstimmung leiden: Sie brechen ein Stück Boden von einem Termitenhügel ab, worin große Mengen Tonmineralien enthalten sind. Tatsächlich wird Kaolin seit langem zur Behandlung von Verdauungsproblemen wie Durchfall in der Humanmedizin eingesetzt; manchmal werden Morphine beigegeben. Im Regenwald, wo Natriummangel in Boden und Pflanzen vorherrscht, lecken Elefanten an Felsen mit hoher Salzkonzentration. In der Region um Mount Elgon an der Grenze zwischen Kenia und Uganda dringen Elefanten auf der Suche nach stark salzhaltigem Gestein manchmal in Höhlen ein. Auch wirbeln sie mit den Stoßzähnen Erde auf, um an die mineralreiche Substanz besser heranzukommen. Orang-Utans fressen ebenfalls mineralreiche Erde; dagegen suchen sich Gorillas instinktiv jene Mineralien, an denen sie Mangel leiden. Von den Berggorillas weiß man, daß sie vulkanischen Boden kauen, der reich an Natrium und Kalium ist.

Unten: Gehäuse- und Nacktschnecken machen sich gefräßig über die jungen Pflanzen her; läßt man sie unbeaufsichtigt, vernichten sie schnell ganze Kulturen. Zur Bekämpfung helfen chemische Köder oder natürliche Fallen aus Bier und Zucker.

Gartenkompost herstellen

Stellen Sie die Kompostbehälter an einen geschützten Platz, wo das Wasser durchsickern kann. Legen Sie auf den Boden eine Strohschicht von ca. 25 cm Dicke, die Sie fest andrücken.

Geben Sie darauf eine 15 cm dicke Schicht Abfall. Gras sollte dünner ausgelegt werden, da es sich sonst zu dicht zusammendrückt und keine Luft mehr durchläßt. Bringen Sie auf die erste Schicht eine 5-cm-Lage aus Gartenboden, wässern Sie ausgiebig, und überstäuben Sie die Lage mit ca. 10 Gramm schwefelsaurem Ammoniak per m^2. Sie können alternativ dazu einen speziellen Kompostaktivator verwenden.

Dann setzen Sie eine Lage nach der anderen bis zum oberen Rand auf. Das Ganze wird mit einer etwa 5-cm-Schicht Gartenerde abgedeckt. Als Deckel fungiert eine Plastikfolie, um zu viel Nässe oder ein Austrocknen zu vermeiden. Nach etwa 3 Monaten im Sommer und 6 Monaten im Winter kann das zersetzte Material als Zugabe in den Gartenboden oder als Mulch verwendet werden.

PFLANZEN AUS SAMEN ZIEHEN

Das Kultivieren des Bodens ist eine der Urtätigkeiten des seßhaften Menschen und kennzeichnet darüber hinaus den Wandel vom Nomadentum zum Leben in festen Gemeinschaften.

Samen tragen die Blaupause aller genetischen Informationen für die kommende Generation in sich. Trotz dieser komplexen Struktur benötigen sie zur Keimung lediglich Feuchtigkeit, Luft und Wärme. Die meisten Samen keimen im Dunkeln, nur ganz wenige sind auf Licht angewiesen.

Für sich betrachtet, sind diese Voraussetzungen leicht zu schaffen; die gärtnerische Kunst ist es aber, sie zur rechten Zeit zusammenzubringen.

Wenn man die Beete und Rabatten im Winter umgräbt und die erforderliche Menge an organischem Dünger oder Kompost hinzufügt, stellt man zwar eine gute Belüftung und Drainage sicher, nicht jedoch die ausreichende Feuchte, die zur Keimung notwendig ist.

Der winterliche Frost, Regen und Schnee lassen den Boden schön krümelig werden, so daß er sich um den jungen Samen schmiegen kann. Doch erst die Aussaat im Frühling, wenn sich

Die Bereitung von Gartenkompost ist leicht. Legen Sie eine gute Handbreit Garten- u. Küchenabfälle auf den Boden (oben links). Dann kommt eine ca. 5 cm dicke Schicht aus Mutterboden darauf, wässern Sie und überstäuben Sie mit schwefelsaurem Ammoniak oder einem speziellen Komposttarter (oben rechts). Füllen Sie den Behälter Schicht um Schicht mit organischen Abfällen auf (unten links). Nach der Befüllung legen Sie eine kräftige Folie aus Plastik darauf, um den Kompost weder zu naß noch zu trocken werden zu lassen. Nach etwa 3 Monaten (im Winter länger) sollte der Kompost zum Einarbeiten in den Boden oder als Mulch reif sein (unten rechts).

Oben: **Manche einjährigen Sommerblumen lassen sich in milden Klimazonen schon im Herbst aussäen. Hier wurden die flachen, V-förmigen Reihen mit den einzelnen Sorten in leichtem Winkel zueinander angelegt. Später werden die Sämlinge ausgedünnt.**

der Boden erwärmt, bringt die für die Keimung notwendige Temperatur.

Jeder Samen benötigt einen ausreichend bemessenen Lebensraum. Was in dichten Haufen gesät wird, kämpft um ausreichend Feuchtigkeit und Sauerstoff; mögen die Sämlinge auch anfangs gekeimt haben, sie werden kurz darauf spindeldürr und schießen auf, suchen Schutz am anderen und werden sich nie zu kräftigen, gesunden Pflanzen entwickeln.

AUSSAAT

Es gibt viele verschiedene Arten des Aussäens, je nachdem, ob es sich um Pflanzen für den Zier- oder den Küchengarten handelt.

Aussäen in keilförmigen Reihen:

Die meisten Gemüsesamen, aber auch die von Sommerblumen und Stauden, werden in Reihen gesät, die man keilförmig mit einer kleinen Hacke oder einer Fräse zieht. Manchmal, wenn die Erde sehr fein geraten ist und die Reihe nur flach sein darf, genügt das Ziehen mit dem Ende eines Stockes.

Der erste Arbeitsgang besteht im gleichmäßigen Abharken, so daß eine möglichst ebene Fläche entsteht. Nehmen Sie immer eine Pflanzschnur zu Hilfe, damit die Reihen gerade werden und die Abstände gleich bleiben. Diese richten sich nach den Pflanzen: Möhren benötigen weniger Platz als etwa große Bohnen.

Die Tiefe der keilförmigen Saatrille hängt von der Größe des Samenkorns ab. Allgemein gilt, die Tiefe beträgt das ca. Zweieinhalbfache des Durchmessers des Samenkorns. Samen legt man für Salat oder Schalotten in ca. 1 cm Tiefe ab, für Stangenbohnen etwa in 5 cm.

Vor der eigentlichen Aussaat entfernen Sie die Schnur. Man sollte nicht direkt aus der Samentüte säen; nehmen Sie lieber eine gewisse Menge in die Hand und lassen die Körner vorsichtig zwischen Zeigefinger und Daumen in die Reihe rieseln. Diese Methode ist gut bei kleineren Samenkörnern – größere wie z. B. Bohnen legen Sie am besten einzeln ab; Sie sparen an Saatgut und vermeiden später das Vereinzeln der zu dicht stehenden Pflänzchen.

Aussaat in breiten Reihen

Einige Gemüsearten, wie z. B. Erbsen, kann man gut in breiteren Reihen aussäen. Dazu bereitet man einen flachen Saatgraben von etwa 20 cm Breite und 5 cm Tiefe vor. Die Erbsen legt man in drei gleichmäßigen Reihen

TAFELFREUDEN AUS RAUPEN UND WÜRMERN

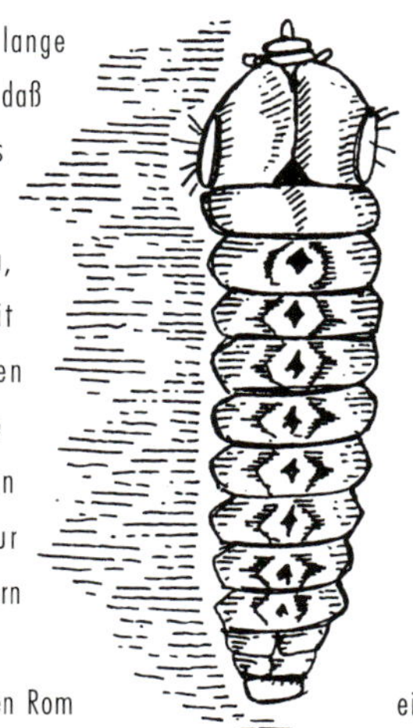

Würmer zu verspeisen hat eine lange Tradition, und es wird berichtet, daß französische Feinschmecker des Mittelalters ein Loblied auf den Regenwurm sangen. In Südafrika, Japan und Neuseeland und seit kurzem auch in Amerika wurden Würmer sogar in die Speisekarte aufgenommen. Bei den Maoris in Neuseeland waren Würmer nur Häuptlingen und sterbenden Männern vorbehalten.

Der Verzehr von Raupen im alten Rom wurde uns durch Plinius überliefert. Er berichtet, daß diese mit Mehl gemästet wurden. Die Seidenraupe ist seit langem als Delikatesse bekannt, und die Ureinwohner von Australien aßen Raupen verschiedener Fliegen und Käfer, die auf den breitblättrigen Mulgrasbüschen, einer kleinen Akazienart, vorkommen.

In Nordamerika verzehrten die Ureinwohner in den Bergen der Cascade und Sierra die Larven der Pandorafliege, die sich normalerweise von den Nadeln der Gelbkiefer ernährt. In einem bestimmten Stadium ihres Lebenszyklus fällt sie von den Bäumen herab, um sich in der Erde einzugraben. Kurz zuvor zündeten die Eingeborenen unter den Bäumen Feuer an, um die Raupen zu betäuben. Wenn sie dann auf den Boden herabfielen, konnte man sie aufsammeln, um sie in heißer Asche zu rösten oder in Wasser zu kochen.

ab und bedeckt sie mit feiner Erde. Diese Methode ist besonders für kleinere Gärten geeignet und schafft eine dichte Fülle der Schoten. In diesem Fall muß man die Sämlinge nicht ausdünnen.

Breitwurfsaat

Bei der Anlage eines Rasens im Hausgartenbereich wirft man den Samen meist breitflächig aus. Dazu gräbt man um, harkt möglichst eben ab, verdichtet dann systematisch die gesamte Fläche, harkt wieder und wirft dann die Saat aus. Anschließend wird die Saat leicht eingeharkt.

Bei trockener Erde – besonders im Frühjahr – muß kräftig gewässert werden, möglichst so, daß die Saat nicht wegschwemmt. Um die Vögel abzuhalten, eignen sich Bindfäden, Zweige oder Netze. Eine andere Methode ist das Abdecken mit einer durchsichtigen Plastikfolie, was auch die Keimung unterstützt. Sobald die Keimlinge etwa 2 cm aus der Erde ragen, muß die Folie entfernt werden. Schwarze Plastikfolie kann ebenfalls verwendet werden; sobald die Saat keimt, muß sie entfernt werden.

Gruppensaat

Mais, Rote Bete und Pastinaken kann man gut in Gruppen säen. Mais kommt im Frühling, wenn keinerlei Frostgefahr mehr besteht, in einem Abstand von etwa 40 cm in der Reihe und 50 cm von Reihe zu Reihe in die Erde; man legt jeweils drei Körner zusammen, um nach der Keimung den stärksten Sämling stehen zu lassen.

Rote Bete sät man ebenfalls gruppenweise. Formen Sie mit der Unkrauthacke ca. 2 cm tiefe, keilförmige Reihen im Abstand von ca. 40 cm. Man legt alle 10 bis 15 cm zwei bis drei Körner und deckt sie mit feiner Erde ab. Wiederum muß nach der Keimung vereinzelt werden; die kräftigste Pflanze läßt man stehen.

Pastinaken können in etwa 2 cm tiefe, keilförmige Rillen gelegt werden. Möchte man besonders schöne Wurzeln, z. B. für Ausstellungen gewinnen, geht man folgendermaßen vor: Formen Sie ein ca. 75 cm tiefes Loch mit einer Eisenstange und füllen Sie es mit Komposterde auf, legen Sie drei Körner hinein und vereinzeln Sie nach der Keimung. Da sich die Pastinaken auf diese Weise nicht durch härtere Erde emporarbeiten müssen, bilden sie schöne Wurzeln aus und gedeihen durch den Kompost üppig.

MAIS

Den frühen nordamerikanischen Farmern standen nur Geräte wie Spaten, Schaufel, Pickel und Hacke zur Verfügung. Anstelle der europäischen Getreidesorten säten sie daher Mais (Zea mays) *auf den noch nicht ganz von der Urvegetation gesäuberten Äckern. Im übrigen besteht die Mais-Kultur in Amerika seit mehreren tausend Jahren.*

Links: Erbsen können in flachen Furchen ausgesät werden, die Sie mit der Hacke etwa 5 cm tief und 20 cm breit anlegen (oben links). Verteilen Sie die Saat ungefähr im 5-cm-Abstand. Mit einer Harke Mutterboden so überrechen, daß die Saat nicht gestört wird (unten links). Danach den Boden mit dem Harkenrücken andrücken (unten rechts).

HEILEN DURCH BERÜHRUNGEN

Durch das Handauflegen erfahren viele Menschen eine heilende Wirkung und finden so einen sinnlichen Zugang zu sich selbst. Einige „berühren" von Natur aus gerne andere Menschen und betasten vielleicht während eines Gesprächs deren Arme, Schultern oder Ellbogen.

Das Handauflegen ist offensichtlich eine Möglichkeit, sich in einen anderen Menschen hineinzufühlen; es ist aber auch ein Weg, sich selbst besser kennenzulernen. Für viele Menschen ist das Berühren einer Pflanze eine tröstliche Wohltat, ähnlich, wie wenn sie einen Hund oder eine Katze streicheln. Es ist in der Tat so, daß sich sowohl der Puls als auch der Blutdruck verlangsamen, wenn man über das Fell eines Tieres streicht. Viele Menschen gehen gerne barfuß über Teppiche und Rasen, und vielleicht erweckt dies unser Urvertrauen in die Natur.

Der gesamte menschliche Körper ist mit einem hochsensiblen Sinnesorgan umhüllt, der Haut. Hautkontakte geben uns genaue Informationen über unsere Umgebung und die Reaktionen anderer. Berührung kann auch Sicherheit verleihen: Fühlen sich Menschen unsicher, so halten sie gerne die Arme an ihren Körper und streichen sich über Arm und Schulter.

Wenn wir Pflanzen anfassen oder unsere Hände beim Umtopfen in die Erde stecken, können wir auch die Gartenarbeit als spürbare Wohltat erleben.

EIN GARTEN ZUM ANFASSEN

Viele Gartenpflanzen faßt man einfach gerne an, streicht über ihre glatten, hell glänzenden Oberflächen, verliert sich in den weichen und fiedrigen Blättern der jungen Farne, oder prüft die zähen und elastischen Nadeln der Koniferen, wie der Lawson-Zypresse *(Chamaecyparis lawsoniana)* und der schnellwachsenden Leyland-Zypresse *(Cupressocyparis x leylandii)*. Manche haben sogar aromatische Blätter und bieten noch eine weitere Form des Genusses.

Die sensorischen Anregungen, die von Blumen, Zweigen, Rinden und Stämmen ausgehen, sind äußerst vielseitig.

Spitzes Blattwerk

Viele immergrüne Nadelhölzer besitzen Nadeln, die wie eine Flaschenbürste aus dem Holz hervorwachsen. Führt man die Hand vom Ansatz bis zur Spitze darüber hinweg, stellt sich ein leicht stachliges Gefühl ein.

Stachlige Blätter

Die Stechpalme *(Ilex aquifolium)* ist einer der bekanntesten Sträucher mit stachligen Blättern – ein immergrünes Gewächs von unterschiedlichem Wuchs. Viele dieser Gartenpflanzen haben bunte Blätter.

Der chinesische Strauch *Itea ilicifolia* hat ebenfalls stachlige Blätter. Damit vergleichbar ist die nordamerikanische

Gegenüberliegende Seite: **Kinder verspüren einen starken Drang, alles anzufassen, was sie interessiert. Viele begeistern sich schon früh für den Garten, wenn sie ihr eigenes kleines Stückchen bepflanzen dürfen.**

Oben Mitte: **Stachlige Blätter haben eine unwiderstehliche Anziehung – ungeachtet der Tatsache, damit das Reaktionsvermögen und die Empfindlichkeit der Haut auf die Probe zu stellen. Das Bild zeigt ein Blatt der Stechpalme *Ilex aquifolium*.**

Fiederberberitze, *Mahonia aquifolium,* die glänzend-grüne Blätter mit stachligen Rändern ausbildet. Auch verschiedene Formen des immergrünen Wacholders weisen eine stachlige, nadelähnliche Belaubung auf, die man sehr deutlich spürt, wenn man mit der Hand darüber streicht.

Rinden und Zweige

Sträucher und Bäume werden durch jeweils unterschiedliche Rinden charakterisiert. An einigen geraden Stämmen kann man leicht und glatt entlanggleiten, während andere gewundene Formen aufweisen.

Der gelbastige Hartriegel, *Cornus stolonifera* 'Flaviramea', bildet schnell Wurzelschößlinge aus, wenn man ihn im Frühjahr stark, auf wenige Zentimeter über dem Boden, zurückschneidet. Schon bald erscheinen aufrechte weiche, gelbgrüne Schößlinge.

Bambus mit weichem Blatt

Die meisten Bambusarten entwickeln weiche, lange und schmale Blätter, die leicht durch die Finger gleiten: Der schwarze Bambus, *Phyllostachys nigra (= Sinarundinaria nigra)*, ist von anmutiger Form; die zunächst grünen Stengel färben sich später pechschwarz. Der Pfeilbambus, *Pseudosasa japonica (= Arundinaria japonica)*, ist ein besonders winterharter Bambus mit dichtem, olivgrünem Blattwerk. Der hier abgebildete *Sinarundinaria nitida (= Arundinaria nitida)* wirkt mit seinen schmalen Blättern und weinrot überhauchten Stengeln sehr elegant. Die Stengel des *Thamnocalamus spathacus (= Arundinaria murielae)* färben sich von hellgrün nach matt gelbgrün. Die Pflanze wirkt ausgesprochen anmutig.

Rechts: Die Korea-Tanne, *Abies koreana*, eine große Konifere mit aufrechtstehenden dunkellilafarbenen Zapfen von knapp 10 cm Höhe. Solche Zapfen fassen sich angenehm an und rufen ein stimulierendes Gefühl hervor. Sie erinnern an Handschmeichler und deren beruhigende Wirkung.

Im Gegensatz dazu hat die Korkenzieherhasel, *Corylus avellana* 'Contorta', Äste, die wie ein Korkenzieher in sich verdreht sind. Diesen groß werdenden Busch nennt man im Angelsächsischen auch „Harry Lauder's Walking Stick". Sir Harry Lauder war Schotte und trat als Komödiant und Balladensänger um die Jahrhundertwende in Varietés auf; sein Markenzeichen war ein verdrehter Spazierstock.

Zu den Bäumen, deren Stämme dazu auffordern, sie anzufassen, gehören der Zimtahorn *(Acer griseum)*, dessen Rinde wie Papierfetzen aufrollen, sowie die chilenische Araukarie *(Araucaria araucana)* eine immergrüne Konifere mit weicher und leicht ringförmig geringelter Rinde; beachtenswert sind auch ihre Zweige, die fast wie Schwänze aussehen. Die Weihrauchzeder *(Calocedrus decurrens)* ist eine immergrüne Konifere mit rotbrauner, grobplattiger, rissiger Borke.

Einen ganz außergewöhnlichen Stamm weist die Chusan-Palme *(Trachycarpus fortunei)* auf, der über und über mit groben, schwarzhaarigen Fasern bedeckt ist.

Ganz rechts: Betula albosinensis „Septentrionalis" gehört zur Sorte der chinesischen Rotbirke, die eine überwiegend glatte, farbige Rinde bildet, die sich angenehm anfühlt.

Links: Acer griseum hat sowohl optische als auch sensorische Qualitäten – kaum einer kann widerstehen, die sich schälende Rinde abzublättern.

Weiche, wollige und haarige Blätter
Darüber hinaus gibt es eine Reihe von Stauden, deren weiche Blattstruktur zum Anfassen verlockt. Das Brandkraut *(Phlomis fruticosa)* bringt graugrüne, wollige Blätter hervor und fügt sich ideal in reine Staudenrabatten wie auch gemischte Beete ein.

Die vielleicht bekannteste Pflanze mit weichem Blatt ist der Wollziest *(Stachys byzantina;* früher bezeichnet als *St. lanata* und *St. olympica).* Viele regionale Bezeichnungen wie Eselsohr, Hasenöhrle beziehen sich auf die weichen, haarigen, ovalen, grünlichen Blätter, die von silbrig-weißem Haar übersponnen sind. Der Scheinziest *(Stachys grandiflora)* bildet dichte, krautartige Matten und hat leicht behaarte, mittelgrüne Blätter.

Wissenswertes über Kompost und Erden
Teil der therapeutischen Wirkung des Gartenarbeitens ist der direkte Kontakt der Hände mit der Erde, sei es im Garten, im Gewächshaus oder im Arbeitsschuppen.

Neue Sträucher, Bäume, Zwiebeln oder Staudenpflanzen sowie das Aussäen von Samenkörnern haben mitunter eine verjüngende Wirkung auf den menschlichen Organismus. Sogar das Hinzufügen von Mulch um Sträucher und Beete kann von therapeutischem Nutzen sein.

Die Auswahl der im Garten verwendeten Materialien ist vielfältig und bietet zahlreiche Möglichkeiten, Sinneserfahrungen zu sammeln. Selbst die Beschaffenheit des Bodens variiert von einer Stelle zur anderen: An der einen ist er sandig und leicht, an der anderen schwer und überwiegend aus Lehm.

Topf- und Aussaaterden sind entweder lehmhaltige Komposterden, die aus gut gerottetem Boden unter Zusatz von Torf und scharfem Sand bestehen, oder Komposterden ohne Lehmanteil, jedoch mit Zusatz von Torf. Heutzutage werden aus ökologischen Gründen meistens alternative Materialien zu Torf angeboten.

Rechts: Weiche, flauschige Samenstände verführen unmittelbar dazu, sie zart zu streicheln: Die hier gezeigte *Clematis orientalis*, ein verholzendes Rankgewächs, kommt vom Iran bis Ostasien vor.

Beliebt sind auch Erden aus Kokosfasern und -schalen, da sie ebenfalls umweltfreundlich sind. Mulch gibt es aus organischem und nichtorganischem Material. Ersterer wird aus feingesiebtem Gartenkompost und verrottetem Mist, Torf, Rindenhäcksel, Holzspänen, Grasschnitt sowie Stoh gewonnen. Alle diese organischen Mulcharten, selbst Stallmist, wenn er gut verrottet ist, sind angenehm anzufassen und zu verwenden. Beim Eintopfen von Zwiebeln im Herbst sind die faserigen Hüllen ein weiteres Material, mit dem man gerne arbeitet.

Weiche Blütenköpfe

Diese delikaten und weichen Blütenköpfe sind besonders schön zu berühren und ziehen das Auge magnetisch an. Die weiße Waldrebe *(Clematis vitalba)* ist eine starkwüchsige Kletterpflanze mit silbrig schimmernden, schirmartigen Fruchtständen, die den ganzen Winter über zu sehen sind.

Eines der zwanglosesten und pflegeleichtesten Gewächse für den Rasen ist das Pampasgras *(Cortaderia selloana)*. Es ist wintergrün, trägt auf hohen Stielen bis zu 40 cm große silbrige Blütenwedel, die im späten Sommer zum Vorschein kommen und noch lange im Winter attraktiv bleiben. So ein Wedel ist wundervoll anzufassen und sieht wie ein Federbusch aus, den zu berühren kaum jemand widerstehen kann.

MEDIZINISCHE DAMPFBÄDER

Die positive Wirkung von Dampfbädern war nicht nur in Europas Norden, sondern auch den amerikanischen Ureinwohnern, wie den Maoris in Neuseeland, seit uralten Zeiten bekannt.

Im 19. Jahrhundert berichtete Lindesey Brine, der viel in Amerika herumreiste, daß die Dakota- und Chippewa-Indianer einige Krankheiten mit Dampfbädern behandelten. Dabei verwendeten sie dieselben Methoden wie die Azteken in Mexiko und die Schoschonen in der Wüste von Utah. Wigwams von ungefähr 1,20 m Höhe aus Büffelhaut wiesen ein kleines Loch auf, in das heiße Steine hineingeschoben wurden, die mit Wasser übergossen wurden.

In Neuseeland verwendeten die Maoris Dampfbäder zur Behandlung von Rheumatismus, tiefen Blutergüssen und Hautbeschwerden sowie zur Unterstützung des Heilprozesses bei gebrochenen Knochen und zur Erleichterung der Schmerzen nach einer Geburt.

HEILCREME ODER SCHÖNHEITSCREME?

Die ursprüngliche Verwendung von Cremes und ähnlichen fetthaltigen Substanzen führen Anthropologen auf die Notwendigkeit zurück, sich vor Sand, Wind, Insekten und Witterung abzuschirmen.

Die alten Ägypter schützten ihren Körper mit farbigen Erden und Fetten; grüner Malachit, ein hauptsächlich auf Kupferkarbonat aufbauendes Mineral, wurde bei starker Lichteinstrahlung für die Augen verwendet, erst später entstand daraus eine Schönheitsbehandlung. Man schminkte sich auch später

mit Begeisterung: So bevorzugte die englische Königin Elisabeth I. für ihr Gesicht einen weißen Ton aus einer bleihaltigen Mixtur. Doch die ständige Anwendung bleihaltiger und damit giftiger Substanzen führte damals den Tod vieler Frauen herbei.

Schlammpackungen sind bekannte Anwendungen in der Schönheitspflege. Üblicherweise wurden sie unter Verwendung einer bestimmten Absorptionserde, der Bleicherde, unter Zusatz von Glyzerin und Benzoin hergestellt.

Die Steine wurden zunächst im Feuer erhitzt und auf eine niedrige Plattform geschichtet, darüber legte man spezielle Heilpflanzen. Man begoß die Steine mit Wasser und bereitete darüber eine Leinenmatte, auf der der Patient lag, der wiederum in ein Leinentuch eingewickelt war. Eine andere Möglichkeit war es, heiße Steine in einen Behälter mit Wasser zu legen, in dem die Heilkräuter bereits gezogen hatten. Der Trog wurde dann mit weiteren Heilzweigen abgedeckt, darüber lag eine Leinenmatte, auf der der Patient in eine Decke eingewickelt saß.

Die von den Maoris verwendeten Heilpflanzen bestanden u. a. aus Kahika-Tee *(Podocarpus dacrydioides,* Steineibe), um leichte Prellungen zu lindern, sowie aus Borken und Blättern des Kawakawa *(Macropiper excelsum,* Pfefferbaum) zur Anregung von Speicheldrüsen, Nieren und Eingeweiden. Dieser Baum – manchmal ein Strauch – bildete eine komplette Hausapotheke: Auch die Blätter wurden bei Zahnweh gekaut oder über dem Feuer weich gemacht, um damit Geschwüre zu heilen. Der immergrüne Ngaio-Baum *(Myoporum laetum)* lieferte Zweige und Blätter, die bei Prellungen den Dampfbädern zugesetzt wurden; während Zweige des Koromiko-Strauches *(Hebe salicifolia,* Strauchveronika) die Schmerzen nach der Geburt linderten.

Rotorura auf der Nordinsel von Neuseeland ist wohl die bekannteste Gegend mit heißen Heilquellen. Die Maoris wußen seit Jahrtausenden von diesen Quellen und behandelten dort viele Krankheiten, auch Rheumatismus. Da die Ernährungsweise der Maoris häufig zu Verstopfung und Hämorrhoiden führte, nahmen sie in Rotorua gerne Schwefelbäder.

In einer anderen Region griff man auf jene Behandlungsmethode zurück: Ein kleiner enger Tunnel wurde durch eine niedrige Bodenwelle gegraben. An einem Ende wurde mit kleinen Stücken von Totara, einer kleinen immergrünen Konifere, Feuer gemacht *(Podocarpus totara;* Steineibe), das durch den Tunnel abziehen konnte. Der Patient saß am anderen Ende über dem Auslaß und konnte die Dämpfe auf sich wirken lassen.

Kurorte und heiße Quellen

Quellen sind im allgemeinen der natürliche Auslauf von unterirdischen Gewässern. Die Zusammensetzung der chemischen Bestandteile im Wasser hängt von der Art des umgebenden Gesteins ab. Wenngleich die meisten kalkhaltig sind, gibt es auch Gewässer, die reich an Eisen, Schwefel, Magnesium oder Mineralien sind.

Die Stadt Spa bei Lüttich ist seit dem 14. Jahrhundert aufgrund ihrer Mineralquellen bekannt und stieg einige Jahrhunderte später zu einer der elegantesten Städte in Europa auf. Seitdem wurde der Name auch auf andere Orte, in denen Wasser medizinischen Zwekken dient, übertragen.

In Bath wurde das erste Kurhaus an der Stelle einer Quelle errichtet, die Wasser zum Baden wie auch zum Trinken lieferte. Die Quellen waren bereits den Römern bekannt, doch erst 1847 entdeckte man unter dem Neuen Schloß in Bath die Ruinen römischer Dampfbäder. In Baden-Baden im Schwarzwald gibt es ebenfalls römische Badeanlagen.

Heiße Quellen beziehungsweise Thermalquellen kommen in vielen Gegenden der Erde vor. In Nordamerika gibt es mehrere Kurorte mit dem Namen Hot Springs.

Oben links: **Das Pampasgras *(Cortaderia selloana)* mit seinen langen, seidigen federbuschähnlichen Köpfen hinterläßt einen beruhigenden und entspannenden Eindruck beim Darüberstreichen.**

Links: **Der berühmte Beppu Blood Pool Hell auf der japanischen Insel Kyushu. Die heißen aufsteigenden Dämpfe steigern das Geheimnisvolle dieses Ortes. Heiße Heilquellen kommen in vielen Gegenden vor; vielfach wurden dem Wasser noch Heilkräuter zugesetzt.**

FARBTHERAPIE IM GARTEN

Farben verfügen über magische Eigenschaften, die direkt auf unsere Stimmungen einwirken und unser physisches und psychisches Wohlbefinden merklich beeinflussen. Jeder von uns hat seine eigene Lieblingsfarbe. Manche Astrologen sehen hierin sogar eine Verbindung zu den Tierkreiszeichen und zur persönlichen Sternkonstellation.

Die Farbtherapie hat eine uralte Tradition und wurde schon im antiken Griechenland sowie den ägyptischen Tempeln von Heliopolis praktiziert. Auch von den alten Chinesen und Indern wurde sie über Jahrtausende hinweg hoch in Ehren gehalten.

EINFLÜSSE AUF UNSER WOHLBEFINDEN

Als Wissenschaft betrachtet steckt die Farbtherapie noch in den Kinderschuhen. Dennoch ist uns bewußt geworden, daß die Farben, die wir in Haus und Garten sowie in unserer Kleidung wahrnehmen, unser Befinden beeinflussen. Jede Farbe hat ihren eigenen Charakter und weckt ein bestimmtes Gefühl in uns.

Unschuldig und rein

In den westlichen Ländern steht die Farbe Weiß für Reinheit, in östlichen Kulturkreisen dagegen für Trauer. Im alten Ägypten war es die Farbe der Freude. Im Garten verströmt sie eine kühle Atmosphäre und übt eine gewisse Autorität aus. Weiße Bekleidung ist in arabischen Ländern unter Männern weit verbreitet, da Weiß im Unterschied zu Schwarz die Sonnenstrahlen nicht absorbiert und deshalb kühler und frischer hält.

Heiter und gelassen

Eine der Eigenschaften, die mit der Farbe Blau assoziiert wird, ist die Gelassenheit. Möchte man im Garten diese Stimmung erzeugen, sollte man vorwiegend blaue Farbtöne wählen. Tatsächlich sagt man, daß Blau den Blutdruck senke und Atmung und Herzschlag beruhige.

Im Buddhismus gilt Tiefblau als Farbe des Unendlichen. Für viele ist sie die Farbe der Kontemplation schlechthin. In Tests über Lieblingsfarben rangiert Blau auf Platz 1, über ein Drittel der Menschen gibt ihr den Vorzug. Auch in westlichen Religionen hat Blau eine besondere Bedeutung: Die Jungfrau Maria wird auf Ikonen und Gemälden in einem Gewand dargestellt, dessen Farbe man fortan als „Marienblau" bezeichnete.

Früher waren Krankenzimmer üblicherweise in Weiß gehalten, doch heutzutage bevorzugt man oft Hellblau, um die Genesung zu unterstützen.

Leidenschaftlich und erotisch

Rot ist eine gefühlsbetonte Farbe. Und Zinnoberrot steigert im Unterschied zu Blau Blutdruck und Atmung. Sie gilt auch als Farbe der Erotik, was möglicherweise den schnelleren Puls erklärt.

In Indien steht Rot für die weibliche Kraft, für Sexualität und Leidenschaft. In China, wo die Braut Rot trägt, soll diese Farbe ganz allgemein Glück bringen.

Gegenüberliegende Seite: Der Anblick eines Beetes voller blauer Blüten ruft ein Gefühl wohltuender Ruhe hervor. Es senkt den Blutdruck und steigert die Lebensqualität.

Oben: Weiße Blumen symbolisieren Unschuld und Reinheit; sie verbreiten eine Aura der Beschaulichkeit, unberührt von den Anforderungen des modernen Lebens.

Optimistisch und fröhlich

Gelb ist die Farbe des Glanzes und der Freude und soll die Urfarbe von Geist, Hoffnung und Fruchtbarkeit sein. Menschen mit einer Vorliebe für Gelb gelten als Individualisten, originell in ihrem Denken und Handeln sowie offen für neue Ideen.

Eine starke Abneigung gegen Gelb deutet hingegen auf eine Ablehnung der eigenen Selbstbeobachtung hin, auf Furcht vor Neuem, und im Extremfall auf Hoffnungslosigkeit. Übrigens ist Gelb häufig die Lieblingsfarbe von Kindern.

Kühl und lind

Grün ruft eine kühle, lindernde Atmosphäre hervor und symbolisiert Wachstum, Fruchtbarkeit und Frische. Im Freien variieren die Abstufungen von Grün mit der Tageszeit, der Jahreszeit und der Beschaffenheit der Blattoberflächen.

HEILENDE FARBEN IM GARTEN

Der Gärtner verfügt über eine breite, fein abgestufte Farbpalette, die obendrein von Tag zu Tag und über das Jahr hinweg variiert. Der Eindruck einer Farbe ändert sich auch mit der Intensität des einfallenden Lichtes. So verlieren bei abnehmenden Lichtverhältnissen helle Farben wie Weiß und Gelb ihre Leuchtkraft nicht so rasch wie etwa Violett oder Schwarz.

Für bestimmte Bereiche im Garten empfiehlt sich die Auswahl heller Töne.

Rechts: „Die Verkündigung" des italienischen Meisters Fra Angelico (1387–1455), eines Dominikaners, der für seine anmutigen Heiligenfiguren und feinnuancierte Farbpalette bekannt ist. Das Gewand der Madonna ist in „Marienblau" gehalten – der Farbe der Sanftheit.

So kann man z. B. Halbsträucher mit silbrigem Blattwerk an den Anfang und das Ende einer Treppe setzen, um diese auch bei Dunkelheit deutlich zu machen.

Phantasievolle Rabatten

Im frühen 18. Jahrhundert herrschte in Europa wie in Nordamerika geradezu eine Begeisterung für Gartenpflanzen. Neue Pflanzen wurden entdeckt, die in fast allen Gärtnereien oder Samenhandlungen verfügbar waren. Mit großer Hingabe suchte man nach Wegen, diesen Pflanzen eine Bedeutung zu verleiben. In der Folgezeit – insbesondere in der 2. Hälfte des 19. Jahrhunderts – entwarfen Gärtner raffinierte Blumenarrangements und teils kühne, teils subtile Farbspiele.

Eine der experimentierfreudigsten Gartendesignerinnen war Gertrude Jekyll (1843–1932), die sich vor allem mit der Anwendung von Farben im Garten beschäftigt hat. Eigentlich wollte sie als junge Frau Malerin werden, doch ihre zunehmende Kurzsichtigkeit führte sie zur Gestaltung mit lebenden Pflanzen. Obgleich ihre Farbkombinationen zu dieser Zeit noch keinen Anspruch auf heilende Wirkung hatten, erkennt man heute in vielen von ihr entworfenen Rabatten wertvolle Ideen zur Gestaltung von Gärten der Ruhe und Kontemplation.

Die Farbkreistheorie

Die Eigenschaften von Farben und ihre jeweilige Zuordnung wurden seit der Antike von vielen Wissenschaftlern untersucht.

FARBEN DER TRAUER

Die Wahl einer Farbe, um Trauer zu zeigen, ist nicht nur kulturell unterschiedlich, sondern änderte sich auch im Laufe der Jahrhunderte. In vielen westlichen Ländern wird der Tod mit der Farbe Schwarz assoziiert. Bei den alten Ägyptern war Gelb die Trauerfarbe, wie auch bei den Mayas, während sie bei den Buddhisten als heilig gilt.

Im christlichen Deutschland des 15. Jahrhunderts galt Gelb als eine Beleidigung Gottes, weshalb man sich für die Komplementärfarben Violett und Purpur als Zeichen der Trauer und Buße entschied.

In der Bretagne wie auch im alten Persien war Braun die Farbe der Trauer – als Symbol des fallenden Herbstlaubes. Ende des 15. Jahrhunderts führte Königin Anne, Gemahlin von König Karl VIII. von Frankreich, Schwarz anstelle von Weiß als Trauerfarbe ein.

Umfriedete Bezirke mit grünen Laubbäumen haben seit langem eine wohltuende Wirkung und erzeugen eine meditative Stimmung. Doch wie bei anderen Farben auch, hängt der wahrgenommene Farbton des Grüns von der Lichtintensität ab. Ist die Oberfläche glatt, wird ein großer Anteil des Lichtes reflektiert, was sie heller erscheinen läßt. Blätter mit einer rauhen Oberfläche wirken eher matt.

Links: Im Herbst feiern viele Laubbäume und Sträucher ein Fest der Farben, bevor die Blätter langsam fallen.

ABSORPTION DER FARBEN

Fällt Sonnenlicht auf farbige Oberflächen, werden einige der im Spektrum enthaltenen Farben nicht reflektiert, da sie von der Farbe der Oberfläche aufgesogen werden. Dieser Vorgang wird als Farbabsorption bezeichnet und läßt die Primärfarben Gelb, Rot und Blau stärker hervortreten. Die Abbildung zeigt das Ergebnis von Sonnenlicht, wenn es auf eine gelbe Tulpe trifft.

Ende des 17. Jahrhunderts entwickelte Sir Isaac Newton (1642–1727) einen Farbkreis mit sieben Farben (Rot, Orange, Gelb, Grün, Blau, Indigo, Violett). Andere Farbkreise enthalten vier Farben (Rot, Gelb, Grün, Blau), während der jetzt übliche mit drei Primärfarben auskommt. Es sind dies Rot, Gelb und Blau mit drei Sekundärfarben (Orange, Grün und Violett). Eine andere Version des Farbkreises erschien in der „Irish Farmer's Gazette" Mitte des 19. Jahrhunderts (s.S. 43).

Im späten 19. Jahrhundert definierte der Amerikaner A. H. Munsell den Farbwert als „die Eigenschaft, mittels derer wir die eine von der anderen Farbe unterscheiden, wie das Rote vom Gelben, vom Grünen, vom Blauen, vom Violetten". Er entwarf einen Farbring mit fünf Hauptfarben (Rot, Gelb, Grün, Blau, Violett) und dazwischenliegenden Mischfarben.

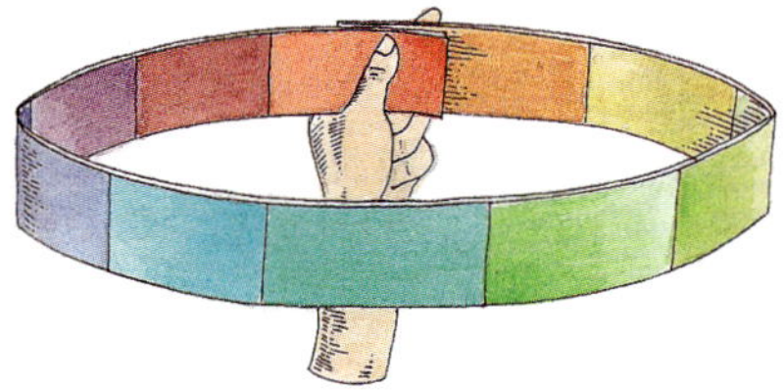

Wie man mit Farbkreisen arbeitet

Farbkreise werden in der Wissenschaft seit Jahrhunderten angewendet, wenn sich auch die darin enthaltenen Farben gewandelt haben. Ihre Hauptbedeutung liegt für Gärtner darin, komplementäre beziehungsweise harmonisierende Farben auszuwählen. Komplementärfarben bilden starke Kontraste, da ihnen keine gemeinsame Farbe zugrunde liegt; sie stehen sich auf dem Farbkreis gegenüber.

Harmonierende Farben dagegen verfügen über gemeinsame Farben, die eng beieinander liegen. Sie schaffen im Garten eine beruhigende Atmosphäre.

Der einfachste Farbkreis verwendet drei Farben (Rot, Blau, Gelb); wo sie sich überlappen, entstehen neue Farben. So wird Grün durch Gelb und Blau gebildet, Violett durch Rot und Blau, und Orange durch Gelb und Rot.

Für dramatische Farbkontraste im Garten greift man meist auf Komple-

Rechts: **Rot ist eine aufregende Farbe und kann Unruhe ins Bild bringen, wenn mit grünen Tönen gemischt wird. Hier sehen wir jedoch einen schönen Kontrast von roten Tulpen mit zart gelben Tönen von Goldlack.**

mentärfarben zurück, z. B. kontrastiert Gelb lebhaft mit Blau oder Violett. Ein Ruhe verströmendes Arrangement verlangt nach harmonierenden Tönen wie Blau mit Grün.

Zum Verständnis des Munsellschen Farbringes kann man einen etwa 2 cm breiten und etwa 30 cm langen Papierstreifen nehmen und ihn in 10 gleiche Abschnitte markieren. In die Abschnitte trägt man folgende Farben der Reihenfolge nach ein: Rot, Rotgelb, Gelb, Gelbgrün, Grün, Grünblau, Blau, Blauviolett, Violett, Violettrot. Der Streifen läßt sich leicht zu einem Ring formen.

Gärten mit eigenem Farbthema

Die Gestaltung von Gärten oder Rabatten unter einem bestimmten Farbthema ist leicht zu bewerkstelligen. Es bietet sich eine riesige Auswahl an Pflanzen an, seien es Sträucher, Bäume, Zwiebelgewächse oder Stauden. Die geschickte Kombination verschiedener Pflanzenarten ermöglicht die gewünschten Farbtöne fast den gesamten Sommer hinweg. Erweitert man noch mit immergrünen Sträuchern und Bäumen sowie Nadelhölzern, läßt sich das Thema den Winter hindurch fortführen.

Man würde sich jedoch selbst einschränken, wenn man sein Gestaltungsthema nur auf eine Hauptfarbe begrenzte: Einige harmonierende Farbtöne, leicht eingestreut, geben dem Ganzen auf dezente Weise Würze und dehnen die Blütezeit meist noch aus. Im folgenden werden einige Pflanzen vorgestellt, die sich gut für Farbspiele im Garten eignen.

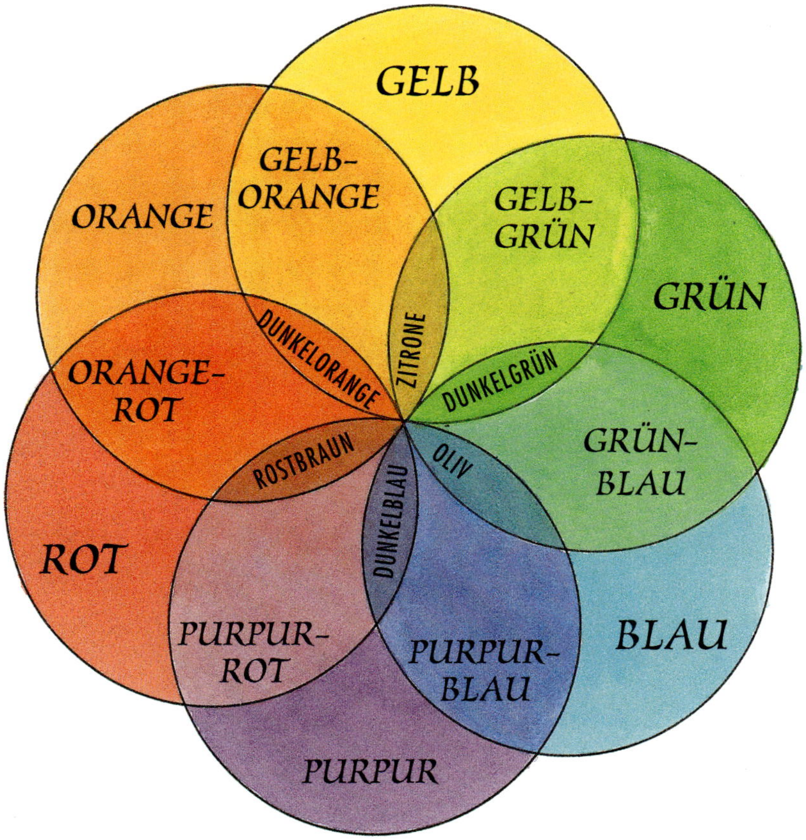

Oben: Dieses differenzierte Farbrad erschien in der „Irish Farmer's Gazette" Mitte des 19. Jahrhunderts und belegt das Interesse an Licht und Farbe um 1850.

Weiße und silberfarbene Rabatten

Weiße Blüten erzeugen in ihrer Reinheit und Leuchtkraft sowohl einen dramatischen als auch einen gedämpften Effekt: In kräftigem Sommerlicht wirken sie direkt, fast blendend, während sie in der Dämmerung nicht mehr so stark hervortreten. Silber ist in seiner Wirkung nicht so dominant wie Weiß und wird gewöhnlich als glänzendes Grauweiß oder weißliches Grau definiert. Seine silbrige Natur reflektiert Licht aus vielen Winkeln und ist von einer Brillanz, die selbst reines Weiß nicht erreicht. Übrigens kommt es mehr in Blättern als in Blüten vor.

Ein in Grautönen gehaltenes Beet mit vorwiegend silber- und graulaubigen Pflanzen und einer Blütenmischung in Weiß, Lila, Purpur und Rosa steht im allgemeinen im Spätsommer und Frühherbst in voller Blüte.

Hier einige Vorschläge für Beete in Weiß und Silber:

Bäume und Sträucher bringen vielfach eine Fülle an weißen und silbrigen Blüten hervor, während andere wegen ihrer silbrigen Blätter bekannter sind. Ein höchst auffälliger Frühlingsblüher, der meist als Strauch vorkommt, ist die Felsenbirne *(Amelanchier lamarckii)*. Ihre weißen sternförmigen Blüten bilden

HOCHZEITSBLAU!

Blau soll die Farbe der Venus sein, der altrömischen Göttin der Gärten und Quellen sowie der Liebe und Schönheit. Blau wird in der Folklore seit altersher mit der Braut in Verbindung gebracht. So lautet in England ein Rat für die Braut am Hochzeitstag:

"Something old,
something new,
something borrowed,
something blue."

wolkenähnliche Gebilde, und sie entwickelt darüber hinaus eine schöne Herbstfärbung der Blätter.

Die aus China stammende Variante des japanischen Blumenhartriegels *(Cornus kousa chinensis)* wirft ihre Blätter ebenfalls im Herbst ab. Im Frühjahr bildet sie rötlichgrüne Blüten, die im Hochsommer meist von vier auffälligen weißen Hochblättern, den Brakteen, umgeben sind. Die chilenische Eucryphia *(Eucryphia glutinosa),* ein eher baumähnlicher Strauch, der auch als immergrünes Gewächs vorkommen kann, bringt große weiße Blüten hervor, mit unzähligen Staubfäden im Hoch- und Spätsommer. Besser bekannt dürfte die Schneeballhortensie *(Hortensia arborescens)* sein. Dieser Strauch stammt aus Nordamerika; im Hoch- und Spätsommer sprießen ballgroße, weiße Blüten. Die Sorte 'Grandiflora' bildet größere Büschel mit reinweißen Blüten.

Die Sternmagnolie *(Magnolia stellata)* eignet sich sehr gut in Beetanlagen oder als markanter Blickfang am Rasen. Dieser Strauch kann sich baumähnlich entwickeln und zeigt im Frühling weiße sternförmige Blüten mit bis zu etwa 10 cm Durchmesser.

Im Frühling produziert die sommergrüne Spiree *(Spiraea arguta)* eine unglaubliche Fülle reinweißer Blüten. Der Gefüllte Schneeball *(Viburnum opulus* 'Sterile') tritt vom Frühling bis zum Sommer auffallend in Erscheinung.

Ein ganz ungewöhnlicher Strauch mit silbrigem oder grauem Blattwerk ist der immergrüne *Brachyglottis greyi,* auch als *Senecio greyi* bekannt. Der breite Wuchs, der eine Höhe von 1 m erreicht, ist

über und über mit den silbriggrauen Blättern bedeckt. Im Sommer trägt er gelbe, margeritenähnliche Blüten. Die Weidenblättrige Birne *(Pyrus salicifolia* 'Pendula') ist ein Baum mit schmalen, silbergrauen Blättern sowie weißen Blüten im Frühjahr.

Rabattenpflanzen

Es gibt eine Vielzahl an Stauden, darunter weißblühende Beetstauden oder Sorten mit silbrigen Blättern. Wenn nicht anders vermerkt, sind die hier aufgeführten Arten winterhart und ausdauernd, d. h. sie kommen in den Folgejahren wieder zu Wachstum und Blüte. Die Staudenimmortelle *(Anaphalis margaritacea yedoensis)* blüht von Sommer bis Spätherbst mit weißen, büschligen Köpfchen. Dagegen entwickelt die *Anaphalis triplinervis* schmale, silbergraue Blätter und blüht im Spätsommer weiß.

Kaum eine andere Staude bringt so viele silbergraue Blätter wie die Edelraute *(Artemisia absinthium* 'Lambrook Silver') hervor. Die Pflanze wirft zum Herbst die Blätter ab; sie hat einen strauchigen Charakter und blüht im

HECKEN ALS FARBIGER HINTERGRUND

Es war früher üblich, die Rabatten mit Hecken abzuschließen. Deren Bepflanzung hing weitgehend von der vorherrschenden Farbgebung ab: In Grau gehaltene Rabatten kommen hervorragend vor der Tamariske *(Tamarix gallica)* mit ihrer fiedrigen, graugrünen Belaubung zur Geltung.

Herrschen in den Beeten Gelb- und Goldtöne vor, eignet sich die Eibe *(Taxus baccata)* oder die gelbgrüne Stechpalme.

Buchshecken sind ein schöner Hintergrund für orangefarbene, blaue und grüne Rabatten, da sie einen tief schimmernden Prospekt abgeben.

Gegenüberliegende Seite: Die Farbwirkung von silberfarbenen Rabatten hängt sehr stark von der Lichtintensität ab. Grelles Sonnenlicht erzeugt einen gleißenden, dynamischen Effekt, während sich manche Pflanzen im Schatten oder schwachem Licht in ein mattes Grün verwandeln.

Links: Hecken mit grünem Laub geben einen ruhigen Hintergrundton für viele Pflanzen ab. Hier bildet die Hecke einen schönen Abschluß und schafft gleichzeitig durch ihre geschwungene Linienführung einen ungewöhnlich anregenden Garten.

SCHWEISSTREIBEND
Die Rinde der Magnolia grandiflora, *von einem aus Nordamerika stammenden immergrünen Gehölz, hat tonisierende Wirkung; die Indianer wandten es als schweißtreibendes Mittel an.*

Oben: **Nur wenige Sträucher sind so spektakulär wie die *Magnolia grandiflora:* Die duftenden, bis zu 20 cm großen Schalenblüten leuchten von Sommer bis Herbst.**

Sommer gelb. *Artemisia ludoviciana* stammt wie die eben genannte Sorte aus Nordamerika; mit ihren silbrigweißen Blüten erfreut sie von Sommer bis Herbst. Das Blattwerk ist üppig, die einzelnen Blätter sind geschlitzt und wollig. Das Schleierkraut *(Gypsophila paniculata)* bildet im Sommer über und über dichte weiße Blütenwolken.

Da Botaniker die Bezeichnungen der Pflanzen ständig präzisieren, ergeben sich oftmals Änderungen in der botanischen beziehungsweise lateinischen Nomenklatur. Zudem gibt es regionale Unterschiede. So wird in Gärtnereikatalogen die Sommermargerite auch als Gartenmargerite geführt, ihr botanischer Name wechselte von *Chrysanthemum maximum* zu *Leucanthemum maximum*. Ihre großen gänseblümchenartigen Blüten zeigen sich den ganzen Sommer hindurch.

Auch beim Greiskraut (hier: *Senecio cineraria)* gab es botanische Namensänderungen. Frühere Bezeichnungen lauteten *S. bicolor* bzeziehungsweise *Cineraria maritima.* Diese Staude ist nicht völlig winterhart, benötigt also Winterschutz und ist eher für geschützte, warme Standorte geeignet. Sie blüht im Hochsommer gelb; die üppig entwickelten, geschlitzten und weißlich-filzigen Blätter sind sehr dekorativ. Auch der Ziest *(Stachys byzantina)* war ehemals unter *St. lanata* beziehungsweise *St. olympica* bekannt. Die rosa Blüte im Sommer ist nicht so auffällig wie die grauen Stengel, die wie mit Wollfilz überzogen wirken.

Die große Zierdistel oder Eselsdistel *(Onopordum acanthium)* ist als „Scotch Thistle" das Wahrzeichen Schottlands. In der silbernen Rabatte ist sie ein wichtiges Element. Sie gehört zu den zweijährigen Stauden und besitzt sich überlappende, große silbergraue Blätter, die scharf geschlitzt sind. Der kalifornische Baummohn *(Romneya coulteri)* ist eine auffallende, strauchig wirkende Staude mit ca. 10 cm breiten weißen Blüten, die in der Mitte gelb sind.

GELBE UND GOLDFARBENE RABATTEN

Gewächse in diesen Farben strahlen besonders im Sonnenlicht auffallend. Gelbe Blüten wirken am besten im Sommer, obgleich sie auch in anderen Jahreszeiten zur Geltung kommen.

Bäume und Sträucher

Der japanische Fächerahorn *(Acer shirasawanum* 'Aureum', auch *A. japonicum* genannt) wächst zu einem buschigen niedrigen Baum heran mit auffallend hellgelben Blättern, ein besonders schöner Solitär auf einer großen Rasenfläche. Die Darwin-Berberitze *(Berberis darwinii)* ist ein immergrüner, absolut winterharter Strauch. Die tief orangegelben Blüten zeigen sich büschelweise Ende Frühling bis Anfang Sommer.

Von den Trompetenbäumen *(Catalpa)* ist besonders die Sorte *C. bignonioides* 'Aurea' zu erwähnen, die sehr große, herzförmige, gelbliche Blätter besitzt. Aus den purpurnen und gelben Blütenrispen im Sommer werden im Herbst an Bohnen erinnernde längliche Samenkapseln, die lange am Baum hängen bleiben. Für eine gelbliche Färbung das ganze Jahr über eignen sich sehr gut die Scheinzypresse *(Chamaecyparis lawsoniana* 'Lutea') sowie die Zypresse *(Cupressus macrocarpa* 'Goldcrest'), die sich hervorragend zu einer Hecke formen läßt.

Auch im Winter braucht man auf gelbblühende Pflanzen nicht zu verzichten: An der strauchartigen Cornelkirsche *(Cornus mas)* hängen an unbelaubten Zweigen kleine dichte Blütenbüschel von Spätwinter bis Mitte Frühling.

Die aus China stammende Zaubernuß *(Hamamelis mollis)* entwickelt sich mit der Zeit zu einem weit ausladenden Busch.Die kleinen gelben, spinnenförmigen Blüten wachsen aus den noch unbelaubten Zweigen vom späten Winter bis zum Frühjahr heraus.

Sicherer Vorbote des Frühlings ist die gelbblühende Forsythie *(Forsythia x intermedia)* mit ihren kaskadenartig blühenden kleinen Glöckchen. Den gelben Stechginster *(Ulex europaeus)*, von dem es auch die gefüllte Form „Plenus" gibt, sieht man vom Frühling bis in den Sommer und gelegentlich bis zum Herbst hin in Blüte. Viele erbsenförmige, goldgelbe Blüten entwickeln sich aus den stacheligen Zweigen heraus.

Der Spanische Ginster *(Genista hispanica)* fühlt sich ebenfalls stachlig an und ist im frühen Sommer über viele Wochen hinweg übersät mit einer Fülle goldgelber Blüten.

Das Johanniskraut *(Hypericum patulum* 'Hidcote') entwickelt von Sommer bis Herbst einen dichten buschartigen Bewuchs voller großer goldgelber Blüten. In geschützten Lagen behält sie das Laub.

Leuchtend orangegelb gefüllte Blüten zieren im Frühjahr den Ranunkelstrauch *(Kerria japonica* 'Pleniflora'). Er

Links: Grün harmoniert mit den meisten anderen Farben und ist besonders schön im Zusammenspiel mit gelben Blüten, wie hier mit der farblich zurückhaltenden Santolina.

BALSAM FÜR WUNDEN

Der Aronstab, Solidago virgaurea, *galt früher als Heilmittel bei inneren und äußeren Verletzungen. Die Blätter wurden für Tee und Umschläge verwendet. Außerdem wirkten die Wurzeln und Blätter beruhigend, auch bei Verdauungsstörungen.*

hat einen ganz besonders lockeren Aufbau mit bogenförmig überhängenden Zweigen.

Das Fingerkraut *(Potentilla),* insbesondere die Sorte 'Elizabeth' mit ihren hellgelben Blüten, ist einer der am längsten blühenden Sträucher. Sie erfreut von Frühjahr bis Herbst.

Die Gelbe Robinie *(Robinia pseudoacacia* 'Frisia'), auch bekannt als Scheinakazie, ist ein sommergrüner Baum mit goldgelben Blättern. Er eignet sich ideal für den Rasen.

Rabattenpflanzen

Die Auswahl an gelbblühenden Stauden ist außerordentlich groß. So entwickelt die Schafgarbe *(Achillea filipendulina)* farnähnliche Blätter und im Sommer große tellerförmige, zitronengelbe Blütenköpfe. Die Sorte 'Coronation Gold' blüht goldgelb.

Mit dem reizenden Frauenmantel *(Alchemilla mollis)* konkurrieren nur wenige andere Stauden. Die hellgrünen, leicht gelappten Blätter und die überreiche Fülle kleiner schwefelgelber, sternförmiger Blüten bilden im Sommer einen wahren Blütenschleier. Mit dem Frauenmantel lassen sich wunderbar Wege einfassen.

Das Mädchenauge *(Coreopsis verticillata)* ist ein krautartiges Gewächs mit fein zerteilten Blättern und hellgelben sternförmigen Blüten, die vom frühen Sommer bis zum späten Herbst erscheinen.

Der kalifornische Mohn *(Eschscholzia californica)* wächst in seiner Heimat zwar als Staude, aber in unseren Breiten muß man ihn als einjährige Pflanze betrachten. Mit seinem feinen Blattschmuck und seinen hellen orangegelben Blütenmassen bereichert er den Garten von Frühsommer bis Herbst.

Wenn man den ganzen Sommer über leuchtend gelbe Blüten in seinem Garten möchte, sollte man sich am besten für den Goldfelberich *(Lysimachia punctata)* entscheiden. Das Brandkraut *(Phlomis fruticosa)* ist ein wintergrüner Strauch mit goldgelben Blütenquirlen im Sommer.

Der Sonnenhut *(Rudbeckia fulgida)* gehört zu den nordamerikanischen Wildstauden. Seine Blütenfarbe variiert von Gelb nach Orange, mit einem braunen, kegelförmigen Blütenknopf in der Mitte. Die Blütezeit liegt im Sommer; eine hervorragende Sorte ist 'Goldsturm'.

Der einjährige Sonnenhut *(Rudbeckia hirta)* stammt auch aus Nordamerika. Er wird bei uns im Frühjahr gesät. Eine große Fülle goldgelber Blüten erscheint von Sommer bis Spätherbst.

FARBENSPIEL MIT BLÜHENDEN HECKEN

Das Laub der Hecken verändert sich im Laufe des Jahres kaum: Im Frühling erscheinen junge helle Triebe, die zum Sommer dunkler werden. Den wirklichen Effekt aber bringen die Blütensträucher.

Forsythienhecken erzeugen im Frühjahr eine Wucht hellgelber Blüten. Erst danach erscheinen die grünen Blätter, die dunkler werden und im Herbst abfallen. Als Hecke ist *Forsythia intermedia* gut geeignet.

Spirea arguta erzeugt eine Menge weißer Blüten im späten Frühling.

Das strauchige Fünffingerkraut *Potentilla fruticosa* ist als niedrige Hecke geeignet und blüht den ganzen Sommer über gelb. Danach treten die feingelappten, mittelgrünen Blätter deutlicher hervor.

Die Trollblume *(Trollius x cultorum)* ist eine dekorative Staude mit großen hellgelben bis orangefarbenen, kugelig geformten Blüten, die sich vom späten Frühjahr bis zum frühen Sommer entfalten. Auch hier gibt es ein breites Sortiment an hervorragenden Sorten.

Die echte Bluthasel *(Corylus maxima* 'Purpurea') ist ein besonders auffallender laubabwerfender Strauch mit großen herzförmigen, dunkelvioletten Blättern. Wenn Sie einen anderen Strauch mit dunkelvioletten Blättern suchen, testen Sie den Perrückenstrauch *(Cotinus coggygria)*.

Weniger hervorstechend ist die Färbung der immergrünen Coloradofichte *(Picea pungens)*.

Es gibt verschiedene Sorten, z. B. „Koster" mit intensiv blauen Nadeln oder „Thomsen" mit hellen silberblauen Nadeln.

BLAUE UND VIOLETTE RABATTEN

Beete, die dieses Farbspiel aufgreifen, entwickeln erst zum Sommer hin ihre volle Wirkung. Es gibt natürlich Ausnahmen, wie den zu Winterausgang bereits rosa bis violett blühenden *Rhododendron x praecox*. Geht das blaue Farbspiel im Sommer los, kann es sich bis in den späten Herbst mit den Herbstastern *(Aster novae-angliae)* hinziehen. Im englischsprachigen Raum ist die landläufige Bezeichnung für diese Asternart *Michaelmas Daisy,* da sie oft bis zum 29. September, dem Michaelmas Day, blüht. Blaublühende Rabatten sind sehr attraktiv und kommen besonders gut mit kontrastierenden weißen und hellgelben Blüten zur Geltung; kräftige Gelbtöne würden insbesondere im vollen Sonnenlicht zu dominant hervortreten. Die Auswahl an blau und violett blühenden Stauden ist äußerst groß. Hier ein paar Beispiele für Sträucher, Bäume und Koniferen, die man in Betracht ziehen kann:

Bäume und Sträucher

Blauer Blattschmuck entfaltet im Beet mitunter eine theatrale Wirkung. Aber denken Sie daran, daß violettblättrige Gehölze in größeren Mengen oft zu dominant erscheinen und in der Dämmerung die Umgebung verschatten.

Gegenüberliegende Seite, oben: Viele Staudenastern wie *Aster amellus* 'King George' bilden hellblaue Blüten, die in Blumenrabatten auffallend hervortreten.

Gegenüberliegende Seite, unten: Im Frühjahr sind Forsythienhecken ein fulminanter Anblick, wenn die gelben Blüten das Winterende verkünden. Hier die *Forsythia intermedia* 'Lynwood'.

Links: Frühblühende Zwiebelgewächse kann man gut im Topf anziehen; mit ihrem bunten Farbenspiel beleben sie den Wintergarten, nur darf es dort nicht zu warm werden. Iris, Hyazinthen und Narzissen bringen einen lebhaften Kontrast von Blau und Hellgelb.

ROTE FRÜCHTE

Im Spätsommer bringen viele Sträucher und Bäume attraktive rote Früchte hervor; einige bleiben bis zum Frühjahr. Cotoneaster 'Cornubia' *bildet große rote Früchte; an* Malus 'Red Sentinel' *hängen die kardinalroten Früchte häufig bis zum Frühjahr; die tiefgeschlitzten Blätter des* Sorbus aucuparia *verfärben sich im Herbst rötlich; die Beeren sind scharlachrot.*

Die Säckelblume *(Ceanothus)* der Sorte 'Gloire de Versailles' blüht im späten Sommer wunderbar blaugrau mit bis zu 20 cm langen lockeren Rispen. Leider ist dieser Strauch in Deutschland nicht immer winterfest.

Von ganz anderem Aussehen ist der Judasbaum *(Cercis siliquastrum)* mit seinem malerisch verästelten Habitus und runder Krone. Er blüht an den noch unbelaubten Ästen und Zweigen rosaviolett und ist mit seinen dichten Blütenbüscheln ein sehr eindrucksvoller Frühjahrsblüher.

Die Hortensie *(Hydrangea macrophylla)* gehört zu den winterharten, laubabwerfenden Sträuchern von rundlicher Form. Die Blütezeit liegt von Mitte bis Ende des Sommers. Es gibt zwei verschiedene Arten dieses Gehölzes: Einige Hortensientypen verfügen über lange kugelförmige Blütenköpfe, während die Tellerhortensien flache Blütenstände haben und weniger dicht wirken. Es gibt sehr viele blau blühende Sorten.

Von kompaktem, gedrungenem Wuchs ist der Lavendel *(Lavandula angustifolia)*, ein wintergrüner Halbstrauch mit schmalen graugrünen Blättern und dunkelvioletten Blüten im Sommer.

Rabattenpflanzen

Viele dieser Gewächse sind von staudigem Charakter und entwickeln sich von Jahr zu Jahr prächtiger. Der bekannte Eisenhut *(Aconitum napellus)* treibt helmartige dunkelblaue Blüten. Eine andere Eisenhutart, *Aconitum wilsonit,* bildet während des späten Sommers bis in den Herbst hinein tiefgeschlitzte Blätter und lockere amethystblaue Blütenrispen. Auch hiervon gibt es sehr viele gute Sorten.

Rechts: **Ganze Farbfelder bildet die ausläuferbildende *Crocosmia* im Hoch- und Spätsommer. Man kann aus vielen Sorten wählen, z.B. 'Carmin Brillant'.**

Die meisten Schmucklilien *(Agapanthus)*, ursprünglich aus Südafrika stammende Zwiebelgewächse, sind nicht winterhart; eine Ausnahme bilden die 'Headbourne Hybriden', die in geschützten Lagen winterhart sind. Sie entfalten im Sommer große, an Regenschirme erinnernde Blütendolden von tief violettblau bis hellblau. Die Ochsenzunge *(Anchusa azurea)*, eine krautige, winterharte Staude mit aufrechten Stengeln, hat schöne, locker hängende, hellblaue Blüten vom frühen bis zum späten Sommer.

Unter den Sommerastern sind *Aster sedifolius* (auch *Aster acris* benannt) sowie die *Aster amellus* erwähnenswert, von der etliche Sorten im Handel sind. Sie blühen in blauen Tönen (hell bis Violett) vom Spätsommer bis zum Herbst.

Die nordamerikanische *Camassia quamash* gehört zu den ausdauernden Zwiebelgewächsen und blüht im Sommer in dichten violetten Büscheln.

Rittersporn *(Delphinium)* ist eine seit langem bekannte Gartenstaude. *D. elatum* kam vor ca. 400 Jahren nach Europa und wird seit 100 Jahren in vielen Farben gezüchtet. Es gibt verschiedene Formen mit Tönen von Dunkellila bis Hellblau und Weiß.

Der Sonnenhut kommt als *Echinacea purpurea* auch in rötlichvioletter Farbe vor. Die großen Blüten erfreuen vom Hochsommer bis zum Herbst.

Die Kugeldistel *(Echinops ritro)* fällt durch ihre kugelförmigen stahlblauen Blütenköpfe im Sommer auf.

Von ganz anderer Natur ist die Feinstrahlaster *(Erigeron speciosus)*, die es in diversen Sorten und Farben gibt. Sie hat kleine margeritenähnliche Blüten, darunter auch in Purpurviolett. Die Blütezeit liegt im Sommer.

Der Wasserdost *(Eupatorium purpureum)* entwickelt große Blütenstände mit rosavioletten Blüten im späteren Sommer.

Die Spirstaude *(Filipendula purpurea)* ähnelt in gewisser Weise dem Eupatorium, da sie auch etwa 2 m hoch wird. Die großen Blütenköpfe blühen im Sommer karminrosa.

Einen völlig anderen Anblick bietet die rosaviolett blühende Prachtscharte *(Liatris spicata)* mit ihren pinselartigen Blütenkolben. Wenn man die Pflanze teilt, erkennt man den knollenähnlichen Wurzelstock.

Originell blüht auch die Gelenkblume *(Physostegia virginiana)* mit ihren vielen einzeln beweglichen Blüten an langen Rispen. Bewegt man diese Blütchen zur Seite, bleiben sie in dieser Position, daher der Name. Sie blüht in Rosa bis Mauve von Mitte bis Ende des Sommers.

Die Jakobsleiter *(Polemonium folisissimum)* ist eine nordamerikanische Wildstaude mit hellblauen Blütenköpfen vom frühen bis zum späten Sommer. Von ähnlichem Charakter ist die Dreimasterblume *(Tradescantia virginiana)* in vielen Sorten. Die sich im Sommer entfaltenden Blüten sind außergewöhnlich, da sie sich aus nur drei Blütenblättern zusammensetzen.

FARBIGE BODENBELÄGE

Wege und Patios sollten mit dem übrigen Garten harmonieren. Während sich alte und natürliche Beläge integrieren, wirken manche moderne Materialien zu dominant und grell.

Bunte Beläge um Swimmingpools sind meist noch akzeptabel; doch eine größere Fläche mit Karomuster dominiert den gesamten Garten auf Kosten der Pflanzen.

Oben: Vergißmeinnicht **(*Myosotis*)** wird gerne als schmale Einfassung verwendet. Noch auffälliger wirkt es in einem breiten Beet. Die unregelmäßige Bepflanzung schafft ein ruhiges, aber dennoch interessantes Stimmungsbild.

ROTE UND ROSAFARBENE RABATTEN

Rote Töne wirken ebenfalls sehr theatralisch und dominieren meist im Beet; rosafarbene Töne haben dagegen eine zarte Aura, die auch bei starkem Sonnenlicht die Augen nicht blendet.

Die verschiedenen Schattierungen von Rot unterliegen in der Abenddämmerung drastischen Veränderungen, bis sie praktisch fast schwarz wirken. Rosafarbene Töne hingegen kann man auch noch erkennen, wenn die roten bereits farblich mit dem Hintergrund verschmolzen sind. Rote Farbtöne kann man das ganze Jahr hindurch finden, sei es in Blüten, Rinden, Stämmen, Beeren oder im Herbstlaub.

Bäume und Sträucher

Der bekannteste rotlaubige Strauch ist der japanische Zierahorn *(Acer palmatum* 'Dissectum Atropurpureum'). Er bildet eine runde Form, die sich aus unendlich

WUNDEN HEILEN

Das weitverbreitete Gänseblümchen (Bellis perennis) *sieht man fast den ganzen Sommer über im Rasen. Kaum bekannt ist seine Heilwirkung. Es wurde früher zur Linderung von Prellungen und zur Blutstillung bei Wunden eingesetzt. Pflanzenkenner sagen, daß die Mischung aus gestampften Blättern und Sahne/Butter unter Zugabe von Cayennepfeffer eine wirkungsvolle Salbe ergibt.*

vielen feinzerteilten, kupferroten Blättern zusammensetzt. Die Auswahl von blühenden Bäumen und Sträuchern ist breit und beinhaltet u. a. viele Variationen der Gattung Azalea. Sie gedeihen als laubabwerfende, aber auch immergrüne Sorten, die während des Sommers rot blühen.

Der aus Chile stammende Feuerbusch *(Embothrium coccineum)* gehört zu den immergrünen Gehölzen mit auffällig scharlachroten Blüten im Sommer. Er wächst in warmen, sonnigen Regionen.

Der Eibisch *(Hibiscus syriacus)* ist zwar winterhärter, bevorzugt aber geschützte Lagen. Die bis ca. 10 cm großen Blüten gibt es in verschiedenen Farben von Violettblau bis Rosa – eine sehr schöne Pflanze, die im Spätsommer neue Farbe in den Garten bringt.

Die nordamerikanische Lorbeerrose *(Kalmia latifolia)* ist ein besonders schöner, immergrüner Strauch. Im frühen Sommer entwickelt er dichte Büschel schalenförmiger Blüten in Hellrosa.

Die Kolkwitzie *(Kolkwitzia amabilis)* ist einer der lieblichsten Blütensträucher im Garten. Auf bogig überhängenden Zweigen blüht sie in dichten rosaroten Blütenbüscheln, die an Fingerhutblüten erinnern. Ihre Zeit ist der Spätfrühling und Frühsommer.

Das Himalaya-Geißblatt *(Leycesteria formosa)* ist nicht nur wegen seiner weißen Blüten, die von dunkelroten Blütenblättern eingefaßt sind, ein attraktives Gewächs, sondern auch wegen seiner purpurroten Beeren im Herbst.

Wenn die Magnolie *(Magnolia liliiflora* 'Nigra') im Frühling in Blüte steht, bietet sie einen sensationellen Anblick, der seinesgleichen sucht! Die Einzelblüten werden etwa 10 cm groß und sind rötlichviolett.

In kalkfreien Böden hat sich die immergrüne, absolut winterharte Japanische Lavendelheide *(Pieris japonica)* bewährt. Sie blüht im Frühling, neben weiß auch rosa und rot, und wird bis 3 m hoch.

Die Weigelie *(Weigela)* hat wegen ihrer Blühfreude einen hohen Stellenwert im Garten und wird in vielen Sorten und Farbtönen angeboten, so auch in Dunkelrot und dunklem Rosa. Die im Frühling kommende Blüte erinnert an die des Geißblattes und blüht überreich bis in den Sommer hinein.

Rabattenpflanzen

Unter der großen Auswahl an Stauden in rötlichen Tönungen bildet der Acanthus *(A. mollis)* aufrechte Stengel mit weißen und purpurvioletten Blütentrieben.

Die Inkalilie *(Alstroemeria aurantiaca)* entwickelt reiche Blüten, die an Trompeten erinnern. Man sieht sie in vielen Rottönen, auch in Orangerot und Scharlachrot. Die Blütezeit dauert von Mitte bis Ende Sommer. Die fleischigen Wurzeln benötigen gegebenenfalls Winterschutz.

Die Riesenmontbretie *(Crocosmia masonorum)* ist von horstartigem Wuchs und bildet flammend orangerote Blüten ab der Sommermitte aus. Es gibt sie in verschiedenen Sorten und Farbgebungen.

Zur Einfassung von Rabatten ist das bekannte Tränende Herz *(Dicentra spectabilis)* mit rosaroten, herzförmigen

Rechts: Beete mit rosafarbenen Pflanzen verbreiten eine warme, freundliche Atmosphäre, die ihnen einen romantischen Charakter verleiht.

Blütchen auf zarten Stengeln besonders geeignet. Eine weiße Variante ist ebenfalls erhältlich. Die Blütezeit ist im frühen Sommer.

Taglilien *(Hemerocallis)* gibt es in großer Variationsbreite, auch in Rosa und Rot. Die Blüte liegt im Sommer. Die Einzelblüten sitzen auf eleganten, aufrechten Stengeln.

Wie ein Feuersturm im Sommer wirken die feuerroten Fackellilien *(Kniphofia)* mit ihren markanten Blütenköpfen. Es gibt sie in vielen Sorten.

Die Kardinalslobelie *(Lobelia cardinalis)* bringt ab Juli leuchtend scharlachrote Blüten hervor.

Zu den längerlebigen Stauden gehört der Weiderich *(Lythrum salicaria)*. Ab Sommermitte bis Frühherbst trägt er dichte Büschel purpurroter Blüten.

Der nordamerikanische Staudenphlox *(Phlox paniculata)* bildet im Laufe des Sommers eine große Blütenfülle aus. Die Farbpalette enthält rosafarbene und rote Sorten. Auch der Spaltgriffel *(Schizostylis coccinea)* ist eine winterharte Pflanze und blüht im Herbst purpurrot.

HARMONISIERENDE UND KONTRASTIERENDE FARBEN FÜR INNENHÖFE

Die Farbe der umgebenden Mauern spielt eine große Rolle.

Weiße Mauern wirken schnell steril. Dazu passen gelbe, goldfarbene und rote Blüten sowie grünes Blattwerk.

KOMBINATIONEN FÜR DEN FRÜHLING: blaue Vergißmeinnicht und gelber Goldlack; Gänseblümchen *(Bellis perennis)* und roter Goldlack; blaue und rote Hyazinthen.

KOMBINATIONEN FÜR DEN SOMMER: Geranien, Ringelblumen, Tagetes, Pantoffelblumen, Petunien, Zinnien.

Graue Steinmauern schaffen ein ruhiges, unaufdringliches Ambiente. Dazu wählt man dunkelviolette, dunkelblaue, rosafarbene oder rote Blüten.

KOMBINATIONEN FÜR DEN FRÜHLING: roter Goldlack, blaue Vergißmeinnicht und rosa Tulpen; rosa oder blaue Hyazinthen; Primeln.

KOMBINATIONEN FÜR DEN SOMMER: Petunien und Pantoffelblumen; blaue Lobelien und rote Geranien; Stern von Bethlehem *(Campanula isophylla)*, Levkojen, Heliotrop und Kapuzinerkresse.

Rote Ziegelmauern sind sehr dominant und brauchen häufig Blumen und Blattwerk, das die starke Farbe abmildert. Als Farben dazu wählt man hauptsächlich Weiß, Hellblau, Silber und Zitronengelb.

KOMBINATIONEN FÜR DEN FRÜHLING: blaue Vergißmeinnicht und weiße Hyazinthen; bronze- und cremefarbener Goldlack; rosafarbene und weiße Gänseblümchen *(Bellis perennis)*; Traubenhyazinthen *(Muscari armeniacum)* und weiße Tulpen; blaue Primeln und kleinblättriger Efeu.

KOMBINATIONEN FÜR DEN SOMMER: Levkojen; Duftsteinrich; blaue Levkojen und silbernes Greiskraut *(Senecio cineraria* 'Diamond').

Oben links: Die im späten Frühling und frühen Sommer blühende Weigela bildet Girlanden von Blüten, die an Jelängerjelieber erinnern.

Links: Duftpelargonien bringen Farbe und Wohlgeruch in Innenhöfe. *Pelargonium graveolens* strömt Rosenduft aus; es gibt mehrere Sorten mit aromatischen Blättern.

THERAPIEREN MIT MUSTERN, FIGUREN, FORMEN UND SKULPTUREN

Seit Urzeiten hat sich der Mensch mit Mustern, Formen und Skulpturen beschäftigt und hinterließ ein großes Erbe an Monumenten aus Stein und Erde, die soziale oder religiöse Werte beinhalteten.

Muster und Formen mit Hilfe von Pflanzen zu kreieren, hat auch Gärtner weltweit zu immer wieder neuen Lösungen inspiriert, wobei sie im allgemeinen mit Bäumen und Sträuchern dauerhafte Anlagen und mit einjährigen Beetpflanzen vorübergehende Arrangements schufen. Durch ihre kunstvollen Muster kamen die sogenannten Teppichbeete in England während des 19. Jahrhunderts groß in Mode und erhielten die treffende Bezeichnung Mosaik-Beete beziehungsweise Juwelen-Beete.

HEILEN MIT FORMEN

Bestimmten Formen wird nachgesagt, daß sie einen besonders großen Einfluß auf unser Leben haben, Krankheiten heilen und psychische Probleme lindern könnten. Wenngleich nicht jeder Mensch sofort empfänglich für die Wirkungsweise von therapeutischen Mustern ist, so wird dennoch behauptet, daß wir jene geistigen und übersinnlichen Kräfte kultivieren und entwickeln könnten. In China, Tibet, Indien, Japan sowie Ägypten wurde in jahrtausendealten Schriften viel über diese Feinfühligkeit für Formen berichtet. Tatsächlich wurden sogenannte Pyramidenheilungen eingesetzt, um elektromagnetische Kräfte nutzbar zu machen und Gesundheit und Wundheilung zu fördern.

Auch die Formen der uns täglich umgebenden Gegenstände üben einen Einfluß auf uns aus: Ein Joghurtproduzent behauptete, daß sein neu entworfener Becher die Aktivität der Bakterien fördere; auch sollen schizophrene Patienten deutliche Fortschritte machen, wenn sie in trapezförmige Krankenzimmer verlegt würden; schließlich sollen sich Mäuse in kugeligen Käfigen schneller von ihren Verletzungen erholen.

Gestaltung des Gartens

Nicht nur die Form eines Gebäudes verfügt über heilende Kräfte, sondern auch die Gegenstände darin und ihre Position zueinander. Feng Shui, auch bekannt als „kan yu“, ist eine alte chinesische Version der Geomantie. Sie beschäftigt sich mit dem „kosmischen Atem“ oder „lebendigen Geist“, der jener Theorie nach durch die Erde fließt und das Glück der dort lebenden Individuen beeinflußt.

Im Idealfall sollte ein Haus nach Süden ausgerichtet sein und auf einer Anhöhe liegen. Es sollte ferner auf trockenem Boden stehen, nach Ost und West sollten sich Hügel anschließen. Wasser, das eine sehr große Rolle spielt, sollte sich in einem Teich unterhalb des

Gegenüberliegende Seite: **Beschnittener Buchs *(Buxus sempervirens)* in Kombination mit einer japanischen Skulptur schafft eine interessante Mischung von Form und Material und strahlt zudem Ruhe aus.**

Oben Mitte: **Teppichbeete erfreuten sich ab der Mitte des 19. Jahrhunderts großer Beliebtheit. Es entstanden viele attraktive Entwürfe, wie das abgebildete Muster von 1877 aus dem „Gardener's Chronical.“**

Rechts: In diesem japanischen Garten sind große Trittsteine so in das breite Band schieferfarbener Steine integriert, daß man an einen dahinfließenden Bach erinnert wird. Andere Steine und Kies bilden weitere Kontraste.

Unten: Wasser zieht den Blick nicht nur an, sondern lenkt ihn – was schon im Römischen Reich bekannt war. Hier trennt der Fluß einen Teil der Gartenanlage ab. Nur eine Brücke bietet Zugang zur Insel und dem Tempietto auf dem Hügel.

Gebäudes sammeln. Zweifellos können wir kaum erwarten, daß Häuser und Gärten in unseren dicht gedrängten Lebensräumen alle diese Vorgaben erfüllen – wenngleich der Leitgedanke auch seine Berechtigung hat.

Weitere Grundzüge der Philosophie von Feng Shui sind: Sanfte Kurven, die dem natürlichen Landschaftsverlauf folgen, sind schnurgeraden Linien vorzuziehen, um bösen Geistern den Zutritt zu verwehren. In Städten darf der Hauseingang nicht am Ende oder an der Ecke einer Straße liegen und insbesondere nicht dort, wo mehrere gerade Straßen aufeinandertreffen. Um böse Geister davon abzuhalten, in einen chinesischen Garten einzudringen, wird ein Schirm (bekannt als „Wand des Geistes") an den Eingang einer Außenmauer gesetzt. Friedvolle Atmosphäre und gute Einflüsse sollen so erhalten bleiben. Innerhalb des Gartens ziehen gewundene Mauern das Glück an. Alte, vielleicht in sich verdrehte Bäume sind unschätzbar, um kosmische Winde einzufangen. Wasser dient auch als Reservoir für Glück und ist besonders günstig, wenn einige kleine Teiche in einen größeren münden.

EINFLÜSSE AUF UNSERE INNERE VERFASSUNG

Gestaltung und Stil eines Gartens wirken auf unser Leben ein. Insbesondere der Hintergrund hat einen ausgeprägten Einfluß auf unser Wohlbefinden, gerade wenn man sich von einer Krankheit erholt. Bei weitem Horizont kann das Auge in die Ferne schweifen, und es stellt sich eine hoffnungsvolle, positive Stimmung ein. Mit einer Einschränkung des Blicks dagegen, etwa durch blickdichte Vorhänge oder Garten-„Wände" aus Thuja-Hecken, schafft man eine lastende Aura – und kann dadurch Krankheit und Depression fördern.

Formale und streng gestaltete Gärten – mit akkuraten Hecken, geraden Wegen und Pflanzungen in geometrischen Mustern – drücken Einheitlichkeit und Reglementierung aus. Ungezwungene Gartenanlagen – mit verschlungenen Wegen und Beeten aus einer bunten Mischung von Stauden, Sommerblumen, Zwiebelgewächsen, Ziersträuchern und kleineren Bäumen – haben dagegen ein weiches, freundliches Aussehen und fördern Heilung und Erholung.

Oben: Statuen in zurechtgestutzten Nischen einer Hecke, die mit schmalen aufrechten Koniferen eingerahmt sind, bilden spannungsvolle Elemente über das ganze Jahr.

Blickpunkte schaffen

Indem man das Auge auf eine Besonderheit am Ende des Gartens lenkt, mildert man den Hang zur Innenschau und schafft gleichzeitig ein Gefühl der Offenheit und Perspektive für die Zukunft. Pflanzen, Skulpturen und kleinere Gebäude sind dafür geeignet.

Blühende Bäume wie auch solche mit buntem oder auffallend herbstlichem Laub bieten schöne Blickpunkte, sind aber zeitlich beschränkt. Große und hervortretende gelbliche Koniferen sind besonders attraktiv und wirken das ganze Jahr über interessant. Gerade im Winter, wenn der Garten schneebedeckt ist, sieht der einfache, aber charakteristische Anblick eines gelblichen Nadelbaums wundervoll aus.

Bietet sich am Ende des Gartens eine interessante Aussicht, so kann man links und rechts davon einen Rahmen mit markanten Koniferen schaffen. Oder man setzt eine kleine Gruppe von Bäumen unterschiedlicher Größe und Art an die eine Seite. Man sollte dieses Arrangement so anlegen, daß sich eine optisch fallende Linie in Richtung Aussicht ergibt. Ein Gartenhaus, etwas versetzt plaziert und mit einer hohen, schönfarbigen Konifere an einer Seite, eignet sich ebenfalls sehr gut zur Hervorhebung der Gartengrenze und gleichzeitig zur Weiterlenkung des Auges auf die ferneren Blickpunkte. Liegt es jedoch direkt dem Haus gegenüber, schließt es den Garten oft ab. Dies erscheint uns dann notwendig zu sein, wenn andere Gärten unmittelbar angrenzen.

Auch Skulpturen spielen für die Anlage von Blickpunkten eine wichtige Rolle, müssen jedoch sorgfältig und mit passenden Hintergrundpflanzen aufgestellt werden, wenn ihre optische Wirkung nicht beeinträchtigt werden soll. So erscheint eine mannshohe Statue weithin sichtbar und attraktiv vor einer vielleicht einen Kopf höheren Eibenhecke. Das dunkle Grün bringt die meist weißliche Färbung der Objekte sehr gut zur Geltung. Besteht der Hintergrund dagegen aus etwa 4 m hohen Bäumen unterschiedlicher Belaubung, so verliert sich der markante Eindruck, wenn man nicht unmittelbar davor steht. Vor dem Ankauf einer

Rechts: Dieser Gartenpfad führt auf eine schöne Gartenvase zu, die vor der dunklen Hecke plastisch hervortritt. Der Weg wird von einer Pergola mit üppigem Blattwerk blühender Kletterpflanzen überwölbt.

Gegenüberliegende Seite: Aus dieser Perspektive gesehen fügt sich die Pan-Figur harmonisch in den Durchgangsbogen der Eibenhecke ein. Statuen sind über das ganze Jahr hindurch interessante Blickpunkte und wirken besonders schön, wenn sie im Winter und Frühling von der tiefstehenden Sonne angestrahlt werden.

Skulptur sollte man immer erst ihre Plazierung festlegen und auch die Entfernung berücksichtigen, von der sie betrachtet werden soll.

Hecken steigern das Wohlbefinden

Hecken, die früher einmal Schutz vor umherstreifenden Tieren und Eindringlingen boten, sind heute mit ihrem Blatt- oder Blütenschmuck zu ornamentalen Gartenbereichen geworden. Hecken haben ihren angestammten Platz auch in Heilgärten, in denen Blumen oder schönlaubige Pflanzen dazu dienen, Kranken einen abgeschiedenen, sicheren Raum zu bieten, bis sie wieder in der Lage sind, offenere Aspekte zu vertragen und Mut zur völligen Genesung zu schöpfen.

Im Feng Shui spielen Hecken eine große Rolle, da sie den Strom der guten Geister lenken und den der Übeltäter fernhalten. Hecken können sowohl an den Außengrenzen, aber auch im Inneren des Gartens gepflanzt werden. Naturgemäß müssen sie als Randeinfassungen robuster sein und eine Privatsphäre gewährleisten; auch müssen sie den Wind besser abhalten als innere Hecken, die meist kleiner und dekorativer sind.

Hecken als Einfassung

Vor über hundert Jahren waren die Hecken in Landhausgärten oft aus Pflanzen wie Weiß- und Rotdorn, Liguster und Schneeball zusammengesetzt. Heutzutage bestehen sie meist aus einer Sorte. Hier einige Vorschläge:

Rotbuche *(Fagus sylvatica):* laubabwerfend, im Frühling mit hellgrünen

Blättern, die im Sommer nachdunkeln; reiche Färbung im Herbst; Höhe der Hecke ca. 3 bis 4 m bei einer Breite von 1 bis 1,5 m; man pflanzt im Abstand von etwa 50 cm.

Liguster *(Ligustrum ovalifolium):* immer- bis halbimmergrün (je nach Klima) mit glänzenden, mittelgrünen Blättern; Höhe ca. 1,20 bis 1,80 m; Breite 60 bis 75 cm; Pflanzabstand 30 bis 40 cm.

Eibe *(Taxus baccata):* immergrüne Konifere mit schmalem dunkelgrünem Nadelblattwerk; ideal für Formschnitt oder Bögen; Höhe 2 bis 2,5 m; Breite 80 bis 100 cm; Pflanzabstand ca. 50 cm.

Hecken im Innenbereich

Besonders geeignet ist eine Reihe von langsam wachsenden Blühsträuchern:

Fuchsien *(Fuchsia magellanica* 'Riccartonii'): zarter laubabwerfender Strauch mit roten und violetten Blüten von Mittsommer bis zum Herbst; lockerer Habitus, gut in Küstenregionen; Höhe 100 bis 130 cm; Breite 65 bis 95 cm; man pflanzt im Abstand von ca. 35 cm.

Lavendel *(Lavandula angustifolia;* auch unter *L. spica* und *L. officinalis* bekannt): wintergrüner Halbstrauch mit aromatisch duftenden Blättern und blassen blaugrauen Blüten von Mitte bis Ende des Sommers; ideal zur beidseitigen Einfassung eines Weges; Höhe 60 bis 90 cm; Breite 45 bis 60 cm; Pflanzabstand etwa 30 bis 50 cm.

Strauchiges Fünffingerkraut *(Potentilla fruticosa):* winterharter, laubabwerfender Blütenstrauch mit hellgrünen Blättern und butterblumengelben Blüten vom späten Frühling bis in den Hochsommer hinein; Höhe 120 bis 150 cm; Breite 60 cm; Pflanzabstand ca. 25 bis 30 cm.

IM SCHUTZ VON ZÄUNEN UND MAUERN

Mag es auch seltsam klingen, daß Größe und Beschaffenheit von Zäunen und Mauern unser Wohlbefinden beeinflussen können, so wird sicherlich jeder großzügige und freundliche Räume beengten und tristen vorziehen.

Einzäunungen

Es gibt viele verschiedene Arten von Zäunen; selbst simple, traurig aussehende Holzwände können optisch aufgewertet werden. Hohe Zäune

Rechts: Weiße Gartenzäune sind die passenden Einfassungen für Bauerngärten, besonders, wenn sie aus einem bunten Gemisch verschiedener Farben und Formen bestehen.

schaffen zwar intime Räume, rufen im Garten jedoch schnell Platzangst hervor. Man sollte daher die Einfriedigungen möglichst niedrig halten. Dichte Zaunwände bieten die größte Abgeschiedenheit und werden im allgemeinen für den Bereich hinter dem Haus verwendet. Vorgärten dagegen erfordern eine niedrigere und dekorativere Umzäunung.

Staketenzäune sind eine der einfachsten Formen des Gartenzauns. Sie bestehen aus ungeschälten oder geschälten Rund- und Vollhölzern von fast gleicher Stärke, die in gleiche Längen geschnitten werden. Die Pfosten sind nur auf der Rückseite zu sehen.

Lattenzäune bilden die größte und bekannteste Gruppe der Zaunformen mit großen Anpassungsmöglichkeiten, geeignet sowohl für ländliche als auch städtische Umgebung. Die Varianten gehen von der naturbelassenen Latte bis zum gestrichenen, durchgestylten Zaun samt Pfosten und Sockel.

Links: Hecken und Skulpturen sind eine zweckmäßige Kombination, um den Blick innerhalb des Gartens und darüber hinaus zu lenken. Die Öffnung in der Hecke führt das Auge sanft auf die Säule, die gegenüber der Hecke nicht dominieren sollte.

Kettenzäune markieren lediglich die Grundstücksgrenzen und stellen keine eigentliche Barriere dar. Dekorative Ketten verbinden niedrige, meist in Weiß gehaltene Pfosten im Abstand von etwa 1,5 m.

Mauern

Sie werden meist nicht um das gesamte Grundstück, sondern eher an einer Seite als Verlängerung der Hauswand und – innerhalb des Gartens – als Trennung zwischen Vor- und Hauptgarten gebaut. Wichtig ist es, die kahle, sterile Fläche mit Pflanzen oder Spalieren zu beleben.

LABYRINTHE UND IRRGÄRTEN

Die Idee des Labyrinths als einem kompliziert verzweigten, unterirdischen Gängesystem war schon Griechen und Römern bekannt. In französischen Kathedralen des Mittelalters finden sich häufig auf dem Fußboden graphische Darstellungen von Labyrinthen. Sie waren auch außerhalb von Kirchen im Pflaster oder Rasen verlegt, so daß bußfertige Christen den Linien auf Knien folgen konnten – eine symbolische Reise für jene, denen eine Pilgerfahrt nach Jerusalem versagt blieb.

Angelegte Labyrinthe kamen erst in europäischen Renaissancegärten des 16. und 17. Jahrhunderts in Mode. Zunächst waren sie aus niedrigwachsenden Sträuchern geformt.

Der Gebrauch von höheren Hecken scheint eine Entwicklung des späten 17. Jahrhunderts zu sein; dabei entstanden häufig komplizierte Lösungen mit mehreren Eingängen. Der berühmte Irrgarten von Hampton Court bei London datiert von ca. 1690. Die Anlage im Gouverneurspalast in Williamsburg (Hauptstadt des Staates Virginia) besteht aus Hecken der Amerikanischen Stechpalme.

Im Grunde eignen sich viele Heckenpflanzen für diese Art des Zuschnitts, darunter Eibe *(Taxus baccata)*, Stechpalme *(Ilex aquifolium)*, Hainbuche *(Carpinus betulus)* und Rotbuche *(Fagus sylvatica)*.

Oben: Der gestutzte Buchs bildet als Hecke und als Formschnitt eine gefällige Verbindung zum weißen Gartenzaun. Die spitzen Pfostenköpfe machen die Einzäunung zusätzlich interessant.

Freistehende Spaliere sind ideal, um Wände mit Kletterpflanzen zu errichten. Wenn sie 60 bis 80 cm von der Grundstücksgrenze aufgestellt werden, schaffen sie eine zusätzliche Privatsphäre für den Vorgarten beziehungsweise für den eigentlichen Gartenbereich hinter dem Haus.

Die Kunst des Formschnitts

Als Formschnitt bezeichnet man die kunstvolle Gestaltung von Sträuchern und Bäumen, die regelmäßig geschnitten und in Form gezogen werden. Es handelt sich um eine Kunstfertigkeit, die schon seit etwa 2000 Jahren praktiziert wird; der römische Naturhistoriker Plinius d.Ä. (23–79 n.Chr.) berichtet von Jagdszenen und Schiffen, die aus entsprechend geschnittenen Zypressen dargestellt wurden, während beschnittener Buchsbaum *(Buxus sempervirens)* oft verwendet wurde, um den Namen des Hauseigentümers kundzutun. Die Römer haben den Formschnitt als erste nach England und ins nördliche Europa gebracht und ihn in den Gärten ihrer Villen angewendet. Nach dem Abzug der Römer waren es hauptsächlich die Klöster, die diese Kunst am Leben erhielten. Modern wurde er erst wieder in der Zeit der Tudors und Elisabeths I., von wo aus er sich auch auf dem europäischen Festland verbreitete. In Florenz schnitt man aus immergrünen Gewächsen kunstvolle Formen wie Kugeln, Porticos, Tempel, Urnen, Esel, Affen und Bären heraus. Im England des 17. Jahrhunderts bevorzugte man hierfür Pflanzen wie Grasnelken, Ysop, Lavendel, Gamander und Thymian. Die Leidenschaft für diese Form der Gartenkunst hielt bis ins 18. Jahrhundert und gipfelte mit Figuren aus Buchs, Rosmarin oder Wacholder. Damals kam der Formschnitt hauptsächlich in großen, repräsentativen Gartenanlagen zur Verwendung. Nach und nach hielt er auch in Landgütern Einzug. Die richtige Plazierung von geformten Pflanzen ist nicht zu unterschätzen: In Landhausgärten mögen Tierfiguren mitunter amüsant wirken, wenn sie aus dem bunten Gemisch eines Blumenbeetes herauslugen; in offenen, eher formellen Gartenbereichen, in denen das zugeschnittene Gewächs für einen gewünschten Blickfang sorgen soll, muß es dagegen so plaziert werden, daß es optimal zur Geltung kommt. Dennoch können gerade nüchterne Gärten mit schön in Form gebrachten Pflanzen wie Kugeln, Kegeln, Quadern aufgelockert werden. Zu den vielen Pflanzen, die sich für einen Formschnitt besonders eignen, gehören: Buchsbaum *(Buxus sempervirens)*, Zypresse *(Cupressus)*, Wacholder *(Juniperus)*, Liguster *(Ligustrum ovalifolium)*, Eibe *(Taxus baccata)*, Hemlocks-Tanne *(Tsuga)*. Ein Gewächs in Form zu schneiden, ist eine langwierige Angelegenheit und kann Jahre dauern, bis ein eindeutiges Bild erkennbar ist. Ist die Grundform einmal geschaffen, ist regelmäßig nachzuschneiden.

TEICHE UND SPRINGBRUNNEN

Es ist wichtig, die einzelnen Gartenbereiche so zu entwerfen, daß sie das Auge nicht verwirren und dadurch den Betrachter überfordern. Wie bei anderen Gartenelementen auch, kann die Form eines Teiches je nach Standpunkt völlig unterschiedlich sein. Aus gewisser Distanz betrachtet, wirkt ein kreisrunder Teich oval; beim Blick von einer erhöhten Terrasse oder einem oberen Fenster aus mag er wieder runder erscheinen. Quadratische Teiche sehen gut aus, wenn man verhältnismäßig nahe steht. Aus der Ferne betrachtet – besonders von einer erhöhten Lage aus – wirken sie oft verzerrt. Dieses Phänomen zeigt sich bei rechteckigen Teichen in der Regel nicht. Wenn Wasser aus einem Springbrunnen plätschert, ergeben sich wiederum unterschiedliche Eindrücke, je nachdem, ob man sich auf gleicher Höhe und nahebei befindet oder auf erhöhter Position in gewisser Distanz.

Versuchen Sie, einen erhöhten Standpunkt einzunehmen, der es Ihnen ermöglicht, das obere Drittel der Fontäne oberhalb des Teiches wahrzunehmen, damit sich der Anblick von Fontäne und Teich nicht verwischt.

Links: Der natürlich angelegte Teich stellt mit der geschwungenen Brücke einen attraktiven Blickfang dar. Der sanfte Abhang – im Verbund mit Bäumen und blühenden Sträuchern – rahmt den Teich ein und weist zugleich auf den weißen Gartenpavillon hin, der sich aus dieser Perspektive optisch mit der Brücke im Gleichgewicht befindet.

Heilende Düfte

Der Geruchssinn ist die unsichtbare Kraft, die das Leben von Kindheit an stark beeinflußt. Babys erkennen ihre Mutter am Geruch, und auch später werden wichtige Ereignisse unseres Lebens mit spezifischen Gerüchen in Erinnerung gerufen; viele Menschen erinnern sich ewig an den Duft ihres Hochzeitssträußes.

Unser Interesse an Düften ist uralt. Mitte des 20. Jahrhunderts stellte Dr. Louis Leakey, weltberühmter Anthropologe aus Kenia, die Theorie auf, daß der Mensch seine ersten Jahre auf der Erde aufgrund seines Körpergeruchs überlebte, der so übel gewesen sein muß, daß er Raubtiere abschreckte. Dr. Leakey vermutete, daß der abstoßende Geruch des Menschen erst allmählich schwand, als er Waffen zu seinem Schutz entwickelte.

Gerüche, seien es abstoßende oder anziehende, sind seit langem Teil unseres Lebens, und es ist nicht erstaunlich, daß jährlich viel Geld aufgewendet wird, um immer neue Körperdüfte mit aufregenden Ingredienzien zu produzieren. Viele Pflanzen locken bestäubende Insekten auf ähnliche Weise an – einige duften süß und verlockend, andere stinken wie fauliges Fleisch und ziehen eher Schmeißfliegen an. Gerüche sind aber nicht nur dazu da, eine Spezies am Leben zu erhalten: Duftstoffe, die in Blättern enthalten sind, bieten einigen

Pflanzen Schutz vor Insekten wie z. B. Ameisen, während andere als Ersatz für Dornen Tiere abwehren. Da die meisten hocharomatischen Pflanzen in heißen, meist trockenen Regionen wachsen, bilden die Aromaöle eine fetthaltige Dampfsperre, die sie vor Austrocknung schützt. Manche dieser Öle halten Pflanzen auch frei von Pilzbefall und Bakterien.

Ein zusätzlicher Vorteil des Pflanzenaromas ist seine antiseptische Heilwirkung. So bringt die nordamerikanische Balsamtanne *(Abies balsamea)* eine gummiähnliche Substanz hervor, die verhärtet, wenn die Rinde verwundet wird. Bereits der Mensch der Frühzeit nutzte diese Substanz, um seine Krankheiten zu kurieren: Das charakteristische Aroma von Gummi wirkt sehr gut bei Schnupfen und in Umschlägen.

Rosmarin und Rautenzweige verfügten in so hohem Maße über jene antiseptische Eigenschaften, daß Richter und Geschworene diese früher bei Gerichtssitzungen als Vorbeugung vor Flecktyphus mit sich führten.

Von vielen Pflanzen mit aromatischem Blattwerk wie Rosmarin, Thymian und Lavendel sagt man, daß sie die Luft „kühlen". Auch früher schon wurden diese Pflanzen zusammen mit Basilikum, Monarde, Kamille, Frauenminze, Ysop und Salbei in Kirchen, Burgen und anderen Gebäuden ausgestreut, um für ein angenehmes Aroma und frische Luft zu sorgen.

Kalmus *(Acorus calamus)* beispielsweise war im 16. Jahrhundert zum Ausstreuen in Gebäuden weit verbreitet; wenn er dabei zerstampft wurde,

Gegenüberliegende Seite: **Bauerngärten bieten mit ihrer Vielfalt an erholsamen Düften den ganzen Sommer über eine entspannte Atmosphäre. Hecken schützen vor Winden, die den Duft sonst davontragen würden.**

Oben Mitte: **Lavendel kann wie viele andere Gartenpflanzen im Sommer geschnitten und getrocknet werden, um im Winter für ein angenehmes Raumklima zu sorgen.**

SAURURUS

Der Molchschwanz aus Nordamerika (Saururus cernuus) *wächst in feuchtem Boden an Teichrändern und bildet im Sommer zartduftende weiße Blüten. Amerikanische Ureinwohner kochten die Wurzeln bei Fleischwunden zu einem Heiltrank.*

entstand ein frischer, fruchtiger und an Zimt und Mandarinen erinnernder Wohlgeruch.

MIT GERÜCHEN HEILEN

Es gilt als erwiesen, daß eine anregende Atmosphäre voller Wohlgerüche den Heilungsprozeß fördert. Die Sinne entspannen sich und bleiben gleichzeitig aufgeschlossen für die breite Palette an Düften, die besonders Pflanzengärten ausströmen.

Viele der in der Aromatherapie verwendeten ätherischen Öle eignen sich hervorragend, um in Innenräumen ein interessantes Raumklima zu schaffen.

Einige Düfte wie Honig, Harz und Moschus wirken warm und vertrauenerweckend, während andere mit fruchtigen Wohlgerüchen an Himbeeren, Äpfel und Ananas erinnern. Als Inbegriff des Sommers wirken letztere etwas anregender.

Individuelle Duftvorlieben

Die meisten Menschen haben eine bestimmte Vorstellung von den Gerüchen, die sie mögen. Diese Vorlieben sind nicht immer das Resultat des Duftstoffes selbst, sondern hängen oft mit Assoziationen und Erinnerungen an frühere Zeiten zusammen. So kann die Süße eines Blumenstraußes die Hochzeitszeremonie in Erinnerung rufen. Andere Leute denken bei bestimmten Düften an die Orte ihrer Flitterwochen zurück – sei es Hawaii mit dem schweren Duft des Blätterwaldes und der Süße tropischer Blumen oder Kanada mit dem harzigen Wohlgeruch seiner Nadelwälder. Sogar der Geruch eines nach einem winterlichen Spaziergang durchnäßten Hundes mag an frühere Zeiten und vielleicht an ein heißgeliebtes Haustier erinnern.

Helichrysum italicum riecht ähnlich wie Curry und zaubert die Vorstellung köstlicher Currygerichte herauf.

Selbstverständlich haben alle Düfte, die glückliche Zeiten heraufbeschwören, eine wohltuende Wirkung. Dagegen werden die Gerüche aus vergangenen Schülerzeiten – vielleicht der Mensa mit dem Gestank stundenlang zusammengekochten Kohls oder schweißdurchtränkte Ankleideräume – die Erinnerung eher trüben.

DER KATZEN WONNE!

Katzenminze *(Nepeta cataria)* wurde in englischen Gärten schon 1263 gezogen. Aus Europa und Asien stammend, ist diese Pflanze eine unwiderstehliche Attraktion für einige Katzen, die gerne in dem aufregenden Blattwerk umherrollen. Schon im 17. Jahrhundert schrieb der französische Botaniker Joseph Tournefort, daß Katzen jene Minzenart selbst im Verborgenen bemerkten.

Nicholas Culpepper, Pflanzenkenner des 17. Jahrhunderts, empfahl einen Tee aus diesen Blättern, um das Fieber unter Kontrolle zu halten und den Schlaf zu fördern.

Seltsamerweise beschädigen Katzen eher umgepflanzte als an Ort und Stelle gesäte Katzenminze, wie eine englische Redewendung treffend sagt:

If you set it, the cat will get it,
If you sow it, the cat won't know it.

Oben Mitte: **Verschiedene Zwiebelgewächse zieren im zeitigen Frühjahr Steingärten und Wegeinfassungen. Das Schneeglöckchen *(Galanthus elwesii)* im Vordergrund riecht nach Veilchen, während der Märzenbecher *(Leucojum vernum)* im Hintergrund süß duftet.**

Rechts: **Katzenminze gibt es in verschiedenen Sorten, die sich im Geruch ähneln, z.B. *Nepeta x faassenii* und *Nepeta cataria*. Sie eignen sich gut als Einfassung entlang von Wegen.**

Düfte vermögen Männern Romanzen mit früheren Freundinnen in Erinnerung zu bringen: So sagt man Rothaarigen den Duft von Veilchen nach, den Brünetten einen zarten Moschusduft und den Blondinen das Bukett von Ambra. Andererseits gibt es auch die Geschichte, daß eine der Geliebten des weltberühmten englischen Schriftstellers Herbert George Wells durch das süße, honighaltige Parfum seines Körpers betört worden sein soll.

Verschwitzte Körper sind dagegen der Erinnerung an glückliche Zeiten nicht gerade förderlich. Doch Napoleon pflegte Josephine auf dem Höhepunkt seiner Romanze Ordre zugehen zu lassen, sich nicht zu waschen, da er in wenigen Tagen bei ihr sein würde. Mit seiner Vorliebe für Körperausdünstungen mag er sich in der Minderheit befunden haben, aber wie viele andere auch liebte er den zarten Duft von Veilchen. Selbst anläßlich der Verbannung nach Elba gelobte er, mit den Veilchen im Frühling zurückzukehren. Aus diesem Grunde wurden die Veilchen das Symbol der Bonapartisten, und Napoleon selbst zum „Père Violette“. Nach seiner Niederlage bei Waterloo und vor seiner Abreise nach St. Helena soll er angeblich noch Josephines Grab besucht und die Lieblingsblumen behutsam in ein Medaillon gelegt haben.

Weihrauch – Balsam für die Seele

Düfte waren einst wichtiger Bestandteil vieler Religionen und sorgten für eine Atmosphäre der Ruhe und der geistigen Klarheit. Die Ägypter hielten Zedernholz für unvergänglich und geeignet, Körper zu konservieren; so wurde Zedernöl in die Haut einmassiert und Holz als Weihrauch den Göttern dargebracht. Die Ägypter waren im Glauben, daß ihre Gebete schneller zum Himmel aufsteigen würden, wenn sie sich mit Weihrauch vermischten.

Der Koran, die Heilige Schrift der Moslems, beschreibt das Paradies als Ort der Nymphen, die aus Moschus geschaffen waren. Tatsächlich schätzten die Anhänger des Propheten Moham-

***Links:** Jasminum polyanthum* **ist eine Kletterpflanze, die bei uns Winterschutz benötigt, aber in geschützten Lagen an Torbögen und Spalieren süß duftend emporrankt.**

SCHUTZ VON INSEKTEN UND MÄUSEN

Verschiedene ätherische Öle sind dabei von Nutzen: Wenn man einige Tupfer Zitronellöl auf die Kleidung gibt, hält man die Stechmücken ab – und mit einigen Tropfen auf dem Kopfkissen hat man des nachts seine Ruhe. Flöhe und Ameisen vertreibt eine Emulsion aus Thymian und Teebaumöl. Fliegende Insekten hält man durch Zitronengras-Essens fern: Hierzu bereitet man eine Mischung mit Wasser, füllt eine Sprühflasche und verwendet sie bei Auftreten der Störenfriede. Hunde- und Katzenflöhen wird man mit einer Mixtur von Geranium und Lavendel Herr: Man sprüht das Mittel in das gebürstete Fell des Tiers ein, achtet aber darauf, daß nichts in die Augen gelangt. Mäuse können sehr unangenehm werden; hier mag ein ausgiebiges Verstreuen von Pfefferminze Abhilfe schaffen.

Oben Mitte: **Die Engelwurz (*Angelica archangelica*) ist eine Staude, die meist nur zwei Jahre kultiviert wird. Die Samen haben ein moschusähnliches Aroma.**

med Moschus so sehr, daß sie ihn beim Tempelbau dem Mörtel beimischten.

In China schrieb Konfuzius um 500 v.Chr., daß Tempel mit Blüten von Magnolien, Pfirsichen, Jasmin und Narzissen geschmückt waren und Weihrauch sowohl in den Wohnungen als auch in den Tempeln verbrannt wurde. Diese Tradition wurde von den Christen als wichtiges Element vieler religiöser Kulthandlungen übernommen.

Frische Luft

Was dem einen als frische Brise guttut, mag der andere als zugig empfinden. So wurde Bergluft im 19. Jahrhundert bei Krankheiten wie Tuberkulose und Blutarmut verordnet; besonders der Duft von Nadelwäldern sollte die Rekonvaleszenz beschleunigen. Als

Orte der Erholung galten auch Küstenregionen, wo sich die erfrischende Seeluft oft mit dem Duft von Kiefernwäldern vermischte.

Der charakteristische und reinigende Geruch von Kreosot fand Anwendung bei Lungentuberkulose; es wurde entweder in einer Schleimlösung oder in Kapseln verabreicht. Wegen seiner lokalen antiseptischen, betäubenden Wirkung wurde Holzteer-Kreosot zusätzlich bei Magenbeschwerden, die durch Geschwüre verursacht wurden, verordnet; wenn man Kreosot inhalierte, brachte es zudem Erleichterung bei Lungenerkrankungen wie Bronchitis.

AROMATHERAPIE

Die alten Ägypter gehören zu den frühesten Kulturen, die ein großes

HERKUNFT DER ÄTHERISCHEN ÖLE

Da Aromatherapeuten gewöhnlich nur die im Volksmund gebräuchliche Bezeichnung benutzen, werden die botanischen Namen der Aromapflanzen häufig vernachlässigt. Diese Liste gibt einen Überblick über die lateinischen Namen der wichtigsten Herkunftspflanzen:

Baldrian – *Valeriana officinalis*
Basilikum – *Ocimum basilicum*
Bergamotte – *Citrus bergamia*
Duftveilchen – *Viola odorata*
Engelwurz – *Angelica archangelica*
Estragon – *Artemisia dracunculus*
Eukalyptus – *Eucalyptus globulus*
Fenchel – *Foeniculum vulgare*
Geranium – *Pelargonium graveolens*
Gewürznelke – *Syzygium aromaticum*
Hemlock-Tanne – *Tsuga canadensis*
Ingwer – *Zingiber officinale*
Jasmin – *Jasminum officinale*
Kalmus – *Acorus calamus*
Kamille – *Matricaria recutita*
Kampfer – *Cinnamomum camphora*
Lavendel – *Lavandula angustifolia*
Limone – *Citrus aurantifolia*
Lorbeer – *Laurus nobilis*
Majoran – *Origanum marjorana*
Mandarine – *Citrus reticulata*
Melisse – *Melissa officinalis*
Mimose – *Acacia dealbata*
Muskatellersalbei – *Salvia sclarea*
Orange – *Citrus sinensis*
Pfefferminz – *Mentha x piperita*
Poleiminze – *Mentha pulegium*
Ringelblume – *Calendula officinalis*
Rose – *Rosa damascena/Rosa centifolia*
Rosmarin – *Rosmarinus officinalis*
Salbei – *Salvia officinalis*
Sandelholz – *Santalum album*
Schafgarbe – *Achillea millefolium*
Schwarzer Pfeffer – *Piper nigrum*
Thymian – *Thymus vulgaris*
Wacholder – *Juniperus communis*
Ylang-Ylang – *Cananga odorata*
Zedernholz – *Cedrus atlantica*
Zitrone – *Citrus limon*
Zitronelle – *Cymbopogon nardus*
Zitronengras – *Cymbopogon citradus*
Zypresse – *Cupressus sempervirens*

Interesse an Parfums bezeugten. Sie verwendeten sie nicht nur bei kultischen Handlungen, sondern auch zur Körperpflege und Massage, um die Elastizität der Haut zu erhöhen, die in heißen Zonen schnell austrocknet und faltig wird.

Die Ägypter waren wahre Meister der Parfumherstellung und begannen den Import aromatischer Pflanzen und Tinkturen bereits 2000 Jahre v.Chr. Griechen und Römer übernahmen diese Tradition, bis Julius Cäsar (102–44 v.Chr.) ihre Verwendung verbot, weil er sie für weibisch hielt; doch der römische Kaiser Caligula (12–41 n.Chr.) widmete sich den Düften mit großer Hingabe. Vor etwa 2000 Jahren verbreitete sich der Gebrauch ätherischer Öle dann im ganzen Römischen Reich; im 11. , 12., und 13. Jahrhundert brachten Kreuzfahrer weiteres Wissen aus dem Heiligen Land nach Europa.

Im 16. und 17. Jahrhundert wurden erstmals Pflanzen nach ihrer Heilkraft klassifiziert; zu Anfang des 18. Jahrhunderts waren 13 ölige Essenzen für den medizinischen Gebrauch erfaßt. Als sich im 19. Jahrhundert allmählich die chemischen Arzneien etablierten, ging die Erforschung der Heilpflanzen zurück.

Doch Anfang des 20. Jahrhunderts wurde das Interesse an ätherischen Ölen erneut geweckt, als der französische Chemiker Gattefossé zufällig entdeckte, daß Lavendelöl die Heilung seiner verbrühten Hand unterstützte. Er war so sehr von der heilenden Wirkung dieses Öls beeindruckt, daß er sich ein Leben

Vorsichtsmassnahmen bei ätherischen Ölen

Ätherische Öle beeinflussen unsere Stimmungen und unser Verhalten und tun unserem Körper gut. Doch bei der Anwendung ist Sorgfalt geboten:

Niemals ätherische Öle innerlich einnehmen.

Die Menge immer sorgfältig abmessen und nicht überschreiten. Einige Öle wirken bei großen Mengen giftig.

Niemals in reiner Form auf die Haut auftragen, sondern in einer Trägersubstanz wie Öl oder Wasser verdünnen: für Inhalationen, Bäder und Raumsprays in Wasser; für Massagen, Schönheitspflege und Körperemulsionen in Öl.

Ätherische Öle in luftdichten, dunklen Glasflaschen und nicht in direktem Sonnenlicht aufbewahren. Niemals in Plastikbehältnisse einfüllen, weil diese kontaminiert werden.

Nach Anwendung sollte man 24 Stunden verstreichen lassen, damit die Lösung in die Haut eindringen kann; erst dann baden oder duschen.

Gelangt ätherisches Öl in das Auge, spült man es mit einigen Tropfen Mandelöl aus; kein Wasser anwenden und sofort einen Arzt aufsuchen.

Einige Öle sollten nicht während der Schwangerschaft angewendet werden, dazu gehören: Basilikum, Engelwurz, Estragon, Lorbeer, Majoran, Rosmarin, Schafgarbe, Thymian, Wacholder. Während der Schwangerschaft muß vor der Anwendung von Medikamenten oder ätherischen Ölen immer ein Arzt konsultiert werden.

Einige ölige Essenzen rufen Hautreizungen hervor, insbesondere bei Sonneneinwirkung kurz nach der Anwendung. Deshalb sollte man sich nach Verabreichung etwa 8 Stunden im Haus aufhalten oder die Essenzen in kleineren Mengen auftragen.

Öle, die Hautirritationen hervorrufen können, sind z.B.: Bergamotte, Engelwurz, Limone, Orange, Zitrone, Zitronelle. Bei Reizung sofort einen Arzt aufsuchen.

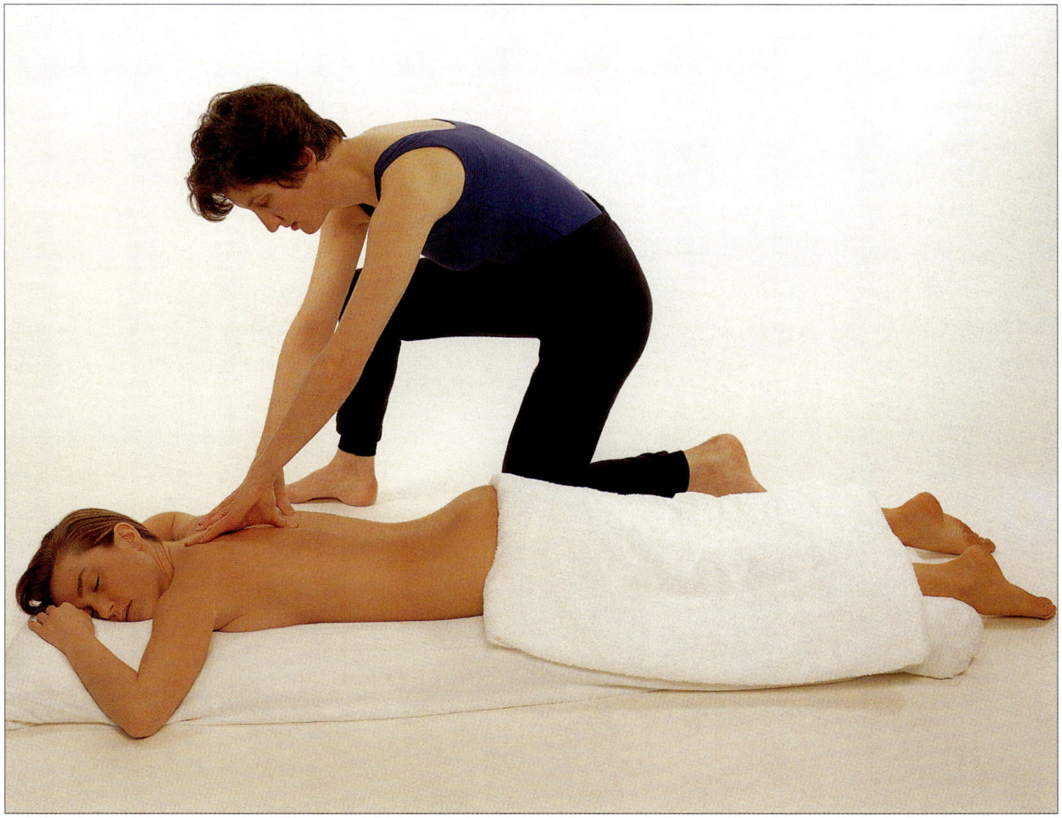

RAINFARN – EIN ALLZWECKMITTEL

Der Rainfarn (Tanacetum vulgare) *war viele Jahrhunderte hindurch auf vielfältige Weise in Gebrauch: bei den alten Griechen, um Körper vor der Zersetzung zu bewahren; in der Renaissance, um zum Vergnügen der Damen Parfums zu destillieren; im 15. und 16. Jahrhundert, um Fliegen abzuwehren.*

Rechts: Rosmarin, Thymian (oben Mitte), Kamille (ganz rechts) und Fenchel (gegenüberliegende Seite) enthalten ätherische Öle.

lang der Erforschung von Pflanzenölen widmete. Er prägte den Begriff „Aromatherapie" und veröffentlichte 1928 sein erstes Buch über dieses Thema. 1938 bestätigte Goddissart nach zahlreichen Experimenten, daß ätherische Öle auch ausgezeichnet bei der Behandlung von Hautkrebs und der Wundheilung wirkten.

Aromaöle

Aromatische Öle tragen den typischen Duft der Herkunftspflanze. Sie werden zur Herstellung von Parfums, Lotionen und Aromen verwendet. Diese Öle befinden sich in winzigen Öldrüsen auf dem Pflanzengewebe, damit sich der Duft nicht verflüchtigt. Sie werden normalerweise aus den Blättern und Blüten gewonnen, obgleich sie auch in Wurzeln, Rinden, Stengeln, Früchten und Schalen vorkommen.

So werden von Rosmarin die Blätter verwendet, von Lavendel die Blüten, von Sandelholz die Rinde, von Kalmus die Wurzeln und von Myrrhe das Harz.

Ätherische Öle wirken nur in reiner Form; daher sollte man sie nur in guten Fachgeschäften kaufen.

Ätherische Öle in der Aromatherapie

Wenngleich man diese Öle gewöhnlich für die Körpermassage verwendet, sind sie auch wichtige Essenzen in der alternativen Heilmedizin sowie in der Schönheitspflege.

Ätherische Öle sind in den Pflanzen in sehr kleiner Dosis vorhanden; für etwa 1 kg Rosenöl werden 5000 kg Rosenblüten verarbeitet. Die zwei bekanntesten Verfahren zur Extraktion des Öls aus der Pflanze sind das Destillieren und die Enfleurage.

Der Destillationsvorgang erfolgt unter Hitze mit anschließender Kondensation, um die verschiedenen Essenzen voneinander zu trennen.

Die durch Enfleurage gewonnenen Öle sind qualitativ noch hochwertiger. Hierzu legt man die Blüten auf einen Filter in eine Schale mit Öl, das nach und nach die Essenzen aus der Pflanze aufnimmt. Sobald die Pflanzen ausgelaugt sind, werden sie durch neue ersetzt, bis sich das Öl mit dem Duftstoff der Blüten ganz vollgesaugt hat. Die Essenzen werden anschließend durch Alkoholextraktion separiert.

AROMATHERAPIE – EINE BREITE PALETTE VON ÖLEN

Die Auswahl an duftenden Ölen ist groß und erscheint auf den ersten Blick unübersichtlich, doch die meisten haben geläufige Bezeichnungen und werden aus bekannten Gartenpflanzen extrahiert.

Der Gebrauch ätherischer Öle

Zur Behandlung bestimmter gesundheitlicher Probleme werden folgende Essenzen empfohlen:

Akne: Bergamotte, Zedernholz, Geranium, Sandelholz, Wacholder.

Angstzustände: Bergamotte, Muskatellersalbei, Lavendel, Mimose, Orangenblüten, Patchouli, Sandelholz, Veilchen.

Blutergüsse: Ringelblume, Kampfer, Muskatellersalbei, Geranium, Majoran.

Erkältungen: Basilikum, Schwarzer Pfeffer, Kamille, Kampfer, Eukalyptus, Majoran, Pfefferminz, Rosmarin.

Erschöpfung: Ambrettasamen, Muskatellersalbei, Eukalyptus, Ingwer, Lavendel, Zitronengras, Pfefferminz, Rosmarin, Thymian.

Frostbeulen: Eukalyptus, Ingwer, Wacholder, Zitrone, Majoran, Rosmarin.

Fußpilz: Birke, Geranium, Lavendel, Zitronengras, Teebaum.

Insektenbisse und Stiche: Basilikum, Zitronelle, Ringelblume, Kamille, Lavendel, Pfefferminz.

Kater: Geranium, Lavendel, Orangenblüten.

Kopfweh: Eukalyptus, Lavendel, Zitronengras, Pfefferminz, Veilchen.

Krämpfe: Eukalyptus, Zitrone, Majoran.

Kreislaufstörungen: Basilikum, Zedernholz, Zypresse, Ingwer, Wacholder, Zitrone, Zitronengras, Lavendel, Kiefer, Rosmarin.

Magenverstimmung: Engelwurz, Fenchel, Lavendel, Majoran, Pfefferminz.

Rückenschmerzen: Zitronelle, Lorbeer, Kampfer, Muskatellersalbei, Eukalyptus, Lavendel, Kiefer, Fichte.

Schlafstörungen: Basilikum, Kamille, Zypresse, Geranium, Lavendel, Orangenblüten, Rose, Mimose, Petitgrain, Ylang-Ylang.

Schock: Kampfer, Orangenblüte, Pfefferminz.

BEIFUSS ALS MEDIZIN

Beifuß (Artemisia tridentata) *kommt meist in nördlich gemäßigten Zonen vor. Er wird bis zu 3,5 m hoch und lieferte bereits den Indianern sowohl Brennmaterial als auch Nahrung und Medizin. Stengel und getrocknete Blätter wurden für Feuerung verwendet, die ölhaltigen Samen konnte man kauen oder zu Mehl vermahlen, die Blätter linderten Magenblähungen und halfen bei Kopfweh und Erkältungen.*

Links: Das mystische Flair dieses Kräutergartens wird noch durch Glaskaraffen unterstrichen, die von einem alten Apotheker stammen könnten.

KARDAMOM

Kardamom (Elettaria cardamonum), *auch als Malabax- beziehungsweise Ceylon-Kardamom bekannt, kommt aus Südindien und enthält in seinem Samen aphrodisierende, ätherische Öle. Nach einem Rezept des Kamasutra werden die Samen mit Ingwer und Zimt vermischt und über Erbsen und Zwiebeln gestreut. Außerdem verwendet man Kardamomsamen zum Würzen von Currygerichten und Marinaden.*

Rechts: Die Rose 'Constance Spry' verströmt einen starken Duft von Myrrhe. Sie entwickelt prächtig hellrosa Blüten und kann als Strauch- oder Kletterrose gezogen werden.

Gegenüberliegende Seite: Die Rose 'Charles de Mills' duftet verhalten mit tief purpurnen Blüten, die später Violettöne annehmen.

Schweißausbruch: Bergamotte, Zitronelle, Zitronengras, Lavendel, Thymian.

Sonnenbrand: Kamille, Geranium, Lavendel.

Streßzustände: Basilikum, Bergamotte, Muskatellersalbei, Geranium, Jasmin, Mandarine, Majoran, Orangenblüte, Rose, Sandelholz.

Übelkeit: Basilikum, Lavendel, Zitrone, Pfefferminz, Rosmarin, Thymian.

Verbrennungen: Kampfer, Kamille, Eukalyptus, Geranium, Lavendel, Rosmarin.

Zahnweh: Kampfer, Kamille, Gewürznelke, Poleiminze, Pfefferminz, Salbei.

DIE WAHRNEHMUNG VON GERÜCHEN

Die reiche Facette an Gartendüften hat auf unseren Organismus eine bereichernde und wohltuende Wirkung – sowohl im Hinblick auf ihre medizinischen Kräfte als auch auf die Freude, die sie uns bereiten. Dennoch nehmen Menschen die Gerüche nicht alle auf die gleiche Weise wahr: Frauen besitzen eine größere Fähigkeit, Düfte zu erfassen als Männer. Darüber hinaus sind dunkelhaarige Menschen für Gerüche sensibler als blonde, während Albinos große Schwierigkeiten mit der Unterscheidung von Aromen haben.

Erkältungskrankheiten vermindern vorübergehend die Geruchsfähigkeit. Und Menschen, die in Innenräumen arbeiten, nehmen gewöhnlich Duftstoffe besser wahr als Leute, die im Freien tätig sind. Unabhängig von der Lebensweise ist jeder Mensch für ganz spezielle Düfte empfänglich. Eine Rose mag dem einen süßduftend erscheinen, dem anderen aber nur mäßig behagen.

DÜFTE KLASSIFIZIEREN

Die vielseitigen Duftstoffe in Blumen, Blättern, Wurzeln, Hölzern und Rinden in logische Gruppen zu unterteilen, ist ein schwieriges Unterfangen. Gegen Ende des 19. Jahrhunderts unternahm man einen Versuch mit sechs Gruppen, die später auf zehn erweitert wurden. Über hundert verschiedene Düfte können durchschnittlich im Garten wahrgenommen werden. Viele davon wirken wohltuend, andere wegen ihrer fischigen und fauligen Nebengerüche eher abstoßend. Die Palette von anregenden Düften ist breit, und selten verfehlen sie es, zu stimulieren, zu beruhigen und die Aufmerksamkeit zu schärfen.

HYGIENE UND FRISCHLUFT IM HAUSHALT

Viele ätherische Öle eignen sich hervorragend als Reinigungsmittel und Luftreiniger. Sie entwickeln wunderbare Düfte, welche unangenehme Gerüche übertönen und eine besänftigende Wirkung auf uns haben.

Zur Oberflächenreinigung gibt man einige Tropfen des Öls in eine Schale mit warmem Wasser, läßt das Wischtuch vollsaugen und wringt es dann aus. Duftende Öle für die Küche sind Zitrone und Geranium; für Toiletten eignen sich Kiefer und Teebaum sehr gut; und für Abflüsse in Bädern verwenden Sie Lavendel und Zitrone.

Um Ihrer Zimmerluft Frische zu verleihen, geben Sie einige Tropfen Öl auf ein Watteböllchen, das in den Staubsauger gelegt wird. Gute Öle zur Auffrischung von Innenräumen sind Bergamotte, Kiefer, Pfefferminze, Rosmarin, Teebaum, Zitrone und Zitronelle.

DER BLAUGUMMIBAUM

Er kommt ursprünglich aus Tasmanien und trägt Blätter, die stechend riechen und bitter schmecken. Aus ihnen läßt sich ein ätherisches Öl extrahieren, das früher von den Eingeborenen als Medizin bei Fieber, Muskelschmerzen und Wunden eingenommen wurde. Das Öl enthält auch Eukalyptol und wird für Bäder, Inhalationen und Massagen verwendet. Als Antiseptikum bekämpft es Keime und Bakterien. Tatsächlich wurde im 19. Jahrhundert diese Eukalyptusart zur Bekämpfung der Malaria nach Italien eingeführt.

Der Duft von Blumen

Zu den Gewächsen mit üblem, fauligem Geruch gehören der Stinkkohl *(Lysichiton americanus),* die amerikanische Squawroot *(Conopholis americana)* oder die Waldlilie *(Trillium erectum).*

Fischgeruch vergißt man nie; er erinnert oft an abgestandenen Schweiß oder Ammoniak. Pflanzen, die diese Gerüche verströmen, sind z. B. in den Gattungen Crataegus (Weißdorn), Cotoneaster und Amelanchier zu finden.

Süße, schwere Düfte sind weitaus angenehmer und werden natürlich als Gartenpflanzen bevorzugt. Dazu gehören die Madonnenlilie *(Lilium candidum),* das Maiglöckchen *(Convallaria majalis),* der Flieder und verschiedene Schneeballarten.

Blüten mit dem Aroma von Vanille, Balsam und Mandeln enthalten die gleichen Öle, die man in vielen Blättern findet. Zu dieser Gattung gehören der aus Korea stammende *Viburnum carlesii,* die chinesische Zaubernuß *(Hamamelis mollis),* die mexikanische Orangenblume *(Choisya ternata)* und die südeuropäische Waldrebe *(Clematis flammula).*

Der Duft des Veilchens ist so zart, daß man ihn nur mit feiner Nase wahrnimmt. Zu dieser Gruppe zählen neben vielen Veilchenarten auch die zarte *Iris reticulata, Crinum x powellii,* einige Mimosen und der Märzenbecher *(Leucojum vernum)* aus Mitteleuropa.

Der Duft der Rose ist süß und fruchtig; er findet sich auch in der Baumpäonie *(Paeonia suffruticosa)* und einigen Magnolien. In der nordamerikanischen

Rechts: Die Florentiner Iris *(Iris germanica florentina)* hat Blüten, die Veilchenduft verströmen. Die Wurzeln lassen sich trocknen und entwickeln ein ähnliches Aroma. Im Mittelalter zerrieb man die Wurzeln zu Puder, den man zwischen die Wäsche legte oder sich damit das Haar parfümierte.

Das reinigende Seifenkraut

Wenige Pflanzen haben solch eine reinigende Wirkung wie das aus Europa stammende Seifenkraut *(Saponaria officinalis).* Seinen Namen verdankt es den rosaweißen Blütenbüscheln, die ein glucosidartiges Saponin enthalten, das eine seifenähnliche Wirkung hat. Es wurde nicht nur zum Putzen von Zinn verwendet, sondern hatte auch medizinische Eigenschaften: Die Blätter der Pflanze wurden für Umschläge bei Schnittwunden und Hautabschürfungen genutzt und halfen auch bei Gelbsucht.

Sandverbene *(Abronia latifolia)* entdeckt man den unverwechselbaren Geruch der Zitrone. Ein reiches fruchtiges Bukett strömt neben einigen Rosenarten auch aus dem Stechginster, dem marokkanischen Gehölz *Cytisus battandieri* sowie der bartlosen *Iris graminea.*

Honigähnliche Düfte werden immer sehr geschätzt. Sie kommen in vielen Pflanzen vor, wie z. B. in dem Duftsteinrich *(Lobularia maritima)* oder dem winzig kleinen *Crocus chrysanthus.*

Das Aroma in Blättern

Wie die Blüten so sind auch die Blätter reich an Duftstoffen. Auch hier gibt es verschiedene Gruppen, wie etwa die terpentinhaltigen Blätter des in Südeuropa beheimateten immergrünen Rosmarinstrauches *(Rosmarinus officinalis).* Oder Sträucher und Bäume, die das Aroma von Kampfer und Eukalyptus verströmen. Dazu gehören der nordamerikanische Gewürzstrauch *Calycanthus floridus* und der meist in Australien vorkommende Eukalyptusbaum. Menthol ist ein ätherisches Öl, das aus Pflanzen wie Minze und einigen Pelargonienblättern gewonnen wird; Schwefel findet sich z. B. in Zwiebeln, Knoblauch, Senf und Brunnenkresse.

Daneben gibt es eine große Gruppe von Blättern, die bereits erwähnte Düfte enthalten, u.a. die Zitronenpelargonie *(Pelargonium odoratissimum)* und die Schottische Zaunrose *(Rosa rubiginosa),* früher unter dem Namen Eglantine bekannt.

Duftende Hölzer, Rinden und Wurzeln

Aromatische Sträucher und Bäume finden sich meist in subtropischen Regionen und fallen in zwei Hauptgruppen: Zu den aromatischen gehören z. B. die nach Veilchen duftende Wurzel der Florentiner Iris *(Iris germanica florentina)* und der Wilde Zimt *(Canella winterana),* der in Nordamerika und Westindien vorkommt und dessen Rinde als Gewürz und Heilmittel Verwendung findet.

Bäume und Sträucher mit einem terpentinhaltigen Bukett dagegen sind z. B. der immergrüne Mastixstrauch *(Pistacia lentiscus)* aus dem Mittelmeerraum und die Terpentinpistazie *(Pistacia terebinthus),* die von der Iberischen Halbinsel bis in die Türkei, Marokko und Ägypten vorkommt.

WERTSCHÄTZUNG HEILENDER DÜFTE

Gärtner sind unverbesserliche Optimisten: jedes Jahr wieder besorgen sie sich Pflanzen aus aller Welt, die sie in zufälligen oder durchdachten Anordnungen nebeneinandersetzen in der Absicht, sich in Farbe, Form und Beschaffenheit zu ergänzen. Düfte liefern eine weitere Dimension, mit der gerne experimentiert wird.

Düfte in Blatt und Blüte entfalten sich je nach Feuchtigkeit, Temperatur und der geschützten Lage des Gartens. Es leuchtet ein, daß Duftstoffe bei heftigen Winden und exponierten Lagen schnell verwehen.

Die ideale Lage

Ein gemäßigt sonniger Abhang, an der Nordseite von Hecken geschützt, bietet eine ideale Ausgangsposition für einen duftenden Blumengarten. Leider spielt bei der Wahl eines neuen Hauses der Garten meist eine untergeordnete Rolle.

In Gegenden mit häufig kalten Winden ist die Anlage eines Windschutzes aus widerstandsfähigen, immergrünen Koniferen wichtig. Der windbrechende Effekt macht sich noch in einer Entfernung der 30fachen Höhe einer Hecke bemerkbar. Bei einer

ZEDERNHOLZ

Zedernholz (Cedar libani) *wurde von den Ägyptern als Weihrauch verbrannt und diente als Sargholz für Mumien. Auch andere hölzerne Grabbeigaben wurden daraus gefertigt. Heutzutage dient es mehr einem profanem Zweck – der Abschreckung von Insekten.*

DIE MAGISCHE ZAUBERNUSS

Aus den Zweigen der Virginischen Zaubernuß *(Hamamelis virginiana)* machten die frühen Einwanderer Nordamerikas ihre Wünschelruten. Die Fähigkeit, Wasser damit aufzuspüren, sah man als magische Zauberkraft an.

Nur wenige Sträucher und Bäume sind so bekannt für ihre medizinischen Eigenschaften. Blätter und Rinde der Zaubernuß wurden von den Indianern für Umschläge bei schmerzhaften Schwellungen, Prellungen und Geschwüren genutzt.

Entfernung der 5fachen Heckenhöhe ist die Windreduktion 65 Prozent; bei einer 15fachen ist die Reduktion nur noch 20 Prozent.

Dennoch sind Hecken wesentlich besser als Mauern und Zäune geeignet, ein Mikroklima für Pflanzen zu schaffen. Wenn der Wind auf eine Mauer trifft, entstehen entlang der beiden Mauerseiten Turbulenzen, wohingegen die Hecke den Wind ohne schädliche Wirbel filtert. Bei der Anlage einer Hecke muß man sorgfältig darauf achten, keine Frostnischen zu schaffen. Frostige Luft gleitet naturgemäß über Boden und Pflanzen hinweg, ohne größeren Schaden anzurichten. Wenn die kalte Luft am Abziehen gehindert wird, staut sie sich bis zur Höhe der Hecke und überwindet sie schließlich. Die auf diese Weise dem Frost ausgesetzten Flächen schädigen besonders frühblühende Sträucher und Obstbäume. Laubabwerfende Hecken bieten zwar weniger Schutz als immergrüne, doch beide vermindern die Durchlässigkeit der Luft.

Duftende Koniferen

Viele harte und widerstandsfähige Nadelhölzer setzen charakteristische und angenehme Gerüche frei, wenn man über ihre Nadeln streicht und sie verreibt: So riecht die Scheinzypresse *(Chamaecyparis lawsoniana)* nach Harz und Petersilie; der Lebensbaum *(Thuja occidentalis)* fruchtig und nach Äpfeln; die Monterey-Zypresse *(Cupressus macrocarpa)* nach Zitrone; und der Riesenlebensbaum *(Thuja plicata)* nach Ananas. Obendrein wachsen verschiedene dieser Koniferen in attraktiven Färbungen, so daß man eine bunte und duftende Gartenbegrenzung schaffen kann. Wenn man eine Hecke an der Gartengrenze pflanzt, so sollte der Abstand mindestens die halbe Breite der ausgewachsenen Hecke betragen. Zweige, die in den Nachbargarten hineinreichen, werden oftmals zum Ärgernis und manchmal sogar zu einer ernsten Sache vor Gericht.

Hecken an der Küste

Steife und salzhaltige Seewinde schädigen die Pflanzen und dörren zusätzlich die Belaubung aus. Doch es gibt einige

Rechts: Jeder Duftgarten profitiert von sorgfältig plazierten Gartenbänken, die an langen Sommerabenden dazu einladen, den Wohlgeruch der Blumen in sich aufzunehmen.

Nadelhölzer mit duftender Belaubung, die gegenüber diesen Schäden resistent sind, z. B. die nordamerikanische Monterey-Zypresse *(Zypressus macrocarpa)*.

Normalerweise hat sie hellgrüne, dichte Zweige, wenngleich die Sorte 'Goldcrest' mit fiedriger, gelber Belaubung für eine ungewöhnliche Farbgebung sorgt.

Einige Duftsträucher sind so widerstandsfähig, daß sie auch in Küstenregionen gedeihen; für eine Hecke eignet sich besonders der gefüllte Stechginster *(Ulex europaeus* 'Flore Plena'). Im späten Frühling und frühen Sommer – und manchmal bis zum Winter – trägt er chromgelbe, nach Honig duftende, gefüllte Blüten zwischen stachligen, verzweigten Stengeln.

Niedrige Hecken

Niedrige Heckenpflanzen eignen sich aufgrund ihrer duftenden Blüten und dichten Belaubung auch gut zur Unterteilung innerhalb des Gartens; die Sträucher reichen von Lavendel bis Rosmarin. Duftende Kletterpflanzen wie die *Clematis montana* ranken besonders schön über bestehende oder gerade entlaubte Heckenreihen.

Windkanäle

Windschneisen entstehen meist durch dicht beieinander stehende Gebäude, die kalte Luftmassen in den Garten hineinpressen. Widerstandsfähige Koniferen an den Ecken des Grundstücks helfen, den Wind zu vermindern. Jedoch sollten diese nicht zu dicht an die Häuser gesetzt werden, da sie nach einigen Jahren, wenn sie meterhoch gewachsen sind, ein Absinken der Gebäude hervorrufen könnten.

Auch mit Lattengestellen läßt sich der Wind brechen. Obgleich es zunächst schwierig sein mag, an Windseiten Kletterpflanzen zu ziehen, werden schließlich doch die meisten überleben. Solang diese Pflanzen jung sind, sollte man für Windschutz sorgen: Hierzu fertigt man eine Strohmatte zwischen zwei Lagen Maschendraht in einer Breite von ca. 1 m an und formt dann sorgfältig einen U-förmigen Schirm, den man mit Bambusstöcken auf der Windseite der Pflanze befestigt.

Gärten, die auch nachts bezaubern

Im 16. Jahrhundert hatte die Braut des indischen Großmoguls Akbar einst den Einfall, Gärten anlegen zu lassen, die sie auch bei Dunkelheit genießen konnte. Dafür wählte sie dunkle Bäume und Pagoden, die sich gegen den Abendhimmel abhoben; im Kontrast dazu sollten weiß duftende Blüten das Mondlicht reflektieren.

Abendliche Düfte genießen

Der Abend ist der wertvollste Zeitpunkt des Tages – es ist die Zeit der Ruhe, der Besinnung und der Vorbereitung für den nächsten Tag. In kälteren Regionen verbringt man die Abende vom Herbst bis zum späten Frühjahr

Unten: Der Welsche Lavendel *(Lavandula stoechas)* bildet einen immergrünen Halbstrauch von etwa 60 cm Höhe. In der Nähe einer Gartenbank läßt sich sein Duft bequem genießen.

gewöhnlich im Haus, vielleicht hört man Musik, liest oder sieht fern. Dagegen laden Sommerabende zur Entspannung auf Veranden und Terrassen ein, um die Stille, die Farben und Düfte des Gartens zu genießen.

Es gibt eine große Spannweite von abend- und nachtduftenden Pflanzen: beispielsweise die Abendlevkoje, die Nachtviole und die Kletterpflanze Jelängerjelieber *(Lonicera caprifolium)*.

Viele am Tage duftende Blumen wie das Waldgeißblatt *(Lonicera periclemenum)* setzen ihren Wohlgeruch bis in den Abend fort.

Auch der wohlbekannte Ziertabak *(Nicotiana alata)* duftet am Tage ähnlich süß wie bei Nacht.

Duftende Innenhöfe und Terrassen

Neben Blumenkästen, -körben und -trögen sind auch Beete unter dem Fenster ein sehr guter Platz für duftende Sommerblumen. Empfehlenswert ist die Kombination von Meerstrandlevkoje *(Malcolmia maritima)* und Abendlevkoje *(Matthiola longipetala)*. Die Abendlevkoje wächst stark in die Breite und hat mattlila Blüten mit schwerem, süßem durchdringendem Duft am Abend, während die Meerstrandlevkoje über den ganzen Tag blüht und gepflegter aussieht.

Oben: Die Öle der Nachtkerze (*Oenothera*) werden zur Behandlung von Hormonkrankheiten eingesetzt. Der Sirup aus den Blütenblättern wirkt lindernd bei Keuchhusten.

Rechts: Dichte Pflanzenbüschel in Töpfen profitieren von der reflektierten Wärme der Mauer. Im Hintergrund erkennt man Salbei und Duftpelargonien.

Eine breite Palette von abendlichen Düften

Die meisten abendlichen Düfte verbreiten ein süßliches Aroma, obgleich einige an Obst oder Magnolien erinnern. So ist die *Abronia fragrans* eine nichtwinterharte Staude mit außergewöhnlich süßen, reinweißen Blüten, die an sommerlichen Nachmittagen aufgehen. Der Seidelbast *(Daphne laureola)* gehört zu den winterharten immergrünen Sträuchern mit süß duftenden, grünlichgelben Blüten im Spätwinter und Frühjahr. Der einjährige Ziertabak *(Nicotiana alata)* ist ein Sommerblüher mit süß duftenden, schlauchförmigen weißen Blüten. Die Bezeichnung Nachtkerze *(Oenothera biennis)* spricht für sich. Es handelt sich um eine zweijährige Pflanze mit blaßgelben Blüten über den ganzen Sommer. Die *Oenothera caespitosa* erinnert mit ihrem Duft an Magnolien und blüht weiß.

Der Phlox *(Phlox paniculata)* ist ebenfalls eine winterharte Staude mit dichten Blütenköpfen im Sommer und sehr süßem Duft. Unter dem Namen Mignonette wurde die Gartenresede *(Reseda odorata)* durch die Kaiserin Josephine populär: eine im Sommer blühende einjährige Pflanze mit verführerisch süß duftenden, gelblich weißen Blüten vom frühen Sommer bis zum Herbst.

Das Seifenkraut *(Saponaria officinalis)* ist eine Staude mit wohlriechenden rosa Blüten im Sommer. Das nachtblühende Leimkraut *(Silene noctiflora)*, eine winterannuelle Pflanze, entwickelt ebenfalls einen süßen, schweren Duft und blüht den ganzen Sommer über weiß oder rosa. Ganz ähnlich präsentiert sich die Staude *Silene nutans* im Frühsommer. Die Nachtviole *(Hesperis matronalis)* mit weißen, violetten und malvenfarbenen Blüten gehört zu den kurzlebigen Stauden, die im Frühsommer ein durchdringendes Aroma verströmen. Die Wunderblume *(Mirabilis jalapa)*, eine nicht so widerstandsfähige Staude mit trompetenförmigen Blüten im Spätsommer, wird wie eine Einjährige verwendet.

DUFTENDE GÄRTEN IM WINTER

Nur wenige Gartenerlebnisse sind so erhebend, wie ein duftender Garten im Winter. Wenn sich die Düsternis bis ins Innere der Seele ausbreitet, ist ein Spaziergang durch duftende Sträucher und Bäume ein wahres Tonikum. Befestigte Wege und Schutz vor eisigen Winden sind im Garten unbedingt erforderlich. Setzen Sie winterduftende Gehölze so, daß die Zweige zwar in die Nähe des Weges kommen, ihn aber nicht behindern. Auf diese Weise kann man den Duft gut aufnehmen, ohne dabei auf nassen Boden zu treten.

Winterblühende Gehölze

Es gibt eine Reihe attraktiver Sträucher und Bäume, die im Winter blühen und unterschiedliche Düfte verströmen. In dieser Hinsicht einzigartig ist der Maiglöckchenduft, der sich in der *Mahonia japonica,* einem immergrünen Strauch mit zitronengelben Blüten ab Januar bis Mitte Frühjahr ausbreitet. Winterblüte *(Chimonanthus praecox)* heißt ein laubabwerfender, buschiger Strauch mit elfenbeinfarbenen Blüten, deren Mitte purpurviolett leuchtet. Er blüht im Winter und entwickelt ein würziges, schweres Aroma.

Viele Sträucher, die im Winter blühen, bilden süß duftende Blüten aus, so auch der Seidelbast *(Daphne odora)*, ein eher zarter Strauch mit blaßvioletten Blüten von Winter- bis Frühlingsmitte. In rauhen Gegenden benötigt er Schutz vor kalten Winden. Die Sorte 'Aureomarginata' ist geringfügig härter und hat cremeweiße Ränder auf den mittelgrünen, transparenten Blättern.

Wenige winterblühende Gehölze sind so bekannt wie die Japanische Zaubernuß *(Hamamelis japonica)*. Nach dem Laubabwurf erscheinen vom späten Winter bis zum Frühling gelbe, manchmal rot übertönte, spinnenähnliche,

Links: Die Winterblüte *(Chimonanthus praecox)* gehört zu den laubabwerfenden Sträuchern. Mitten im Winter entfalten sich auf den blattlosen Zweigen würzig duftende Blüten.

zartduftende Blüten. Die verwandte Chinesische Zaubernuß *(Hamamelis mollis)* entwickelt sich im Winter ebenfalls zu einem laubabwerfenden Strauch mit süß duftenden, goldgelben, spinnenähnlichen Blütenbüscheln. Der teilweise immergrüne Strauch *Lonicera fragrantissima* besitzt cremeweiße Blüten mit durchdringend süßem Duft ab der Wintermitte bis zum zeitigen Frühjahr. Die verwandte *Lonicera standishii* ist ein laubabwerfender Strauch mit süß duftenden, cremeweißen Blüten vom frühen Winter bis Frühlingsanfang.

Auch verschiedene Mahonien verfügen im Winter über süß duftende Blüten: *Mahonia* 'Charity' hat den ganzen Winter lang tiefgelbe Blüten in spitz zulaufenden, herabfallenden Rispen. Sehr ähnlich ist *Mahonia lomariifolia,* die jedoch bis Frühlingsende blüht.

Der laubabwerfende Schneeball *(Viburnum x bodnantense* 'Dawn') entwickelt süße, weiße Blüten, die im Jugendstadium pinkfarben und rosarot sind und im Winter an nackten Zweigen büschelweise erscheinen. *Viburnum farreri* (früher bezeichnet als *V. fragrans),* ein ebenfalls laubabwerfender Strauch mit weißen Blüten und rosa angetönter Knospe, blüht ebenfalls in dichten Büscheln vom frühen bis zum späten Winter. An *Viburnum grandiflorum* entfalten sich tiefrosa, süßlich duftende Blüten von Wintermitte bis zum Frühling.

Der Anbau der in Nordamerika beheimateten Zaubernuß *Hamamelis vernalis* lohnt wegen ihres pikanten Buketts von Mitte bis Ende Winter. Dieser laubabwerfende Strauch bildet Ausläufer und Büschel von kleinen, gewellten, blaß- bis braungelben Blüten.

Duftende Zwergkoniferen

Für einen angenehmen Winterduft sind sie unschätzbar; viele können in Kübeln oder Trögen beziehungsweise an Veranden und Terrassen eingepflanzt werden. Ihre leicht zerriebenen Nadeln verströmen anregende Düfte. *Juniperus communis* 'Compressa' ist von säulenförmigem Wuchs, graublau und duftet

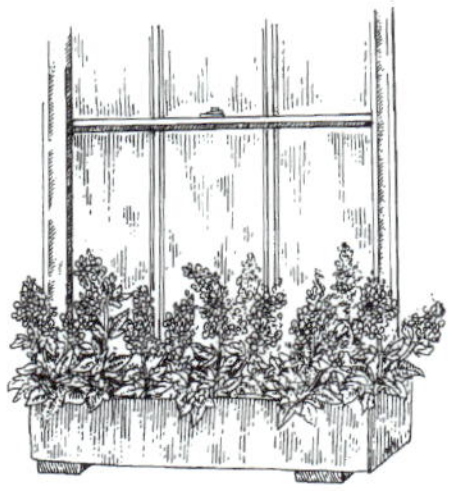

PRACHTVOLLE BLUMENKÄSTEN

Im frühen 19. Jahrhundert pflanzte man die Blumenkästen gerne mit duftender Reseda odorata, *deren süßliche Duftschwaden sich über ganze Straßenzüge legten. Die Passion für diese Blume setzte in Frankreich ein, als Kaiserin Josephine sie als Topfpflanze in Mode brachte; Napoleon soll während seines ägyptischen Feldzugs Samen davon gesammelt haben. Obgleich das Gewächs nicht als Aphrodisiakum gilt, besagt ein Sprichwort, daß es jedem Liebhaber Glück und Erfolg beschert, der sich dreimal in einem Bett von Reseda wälzt!*

Rechts: *Iris reticulata* verströmt von Februar bis März einen veilchenähnlichen Duft. Sie kommt besonders gut an Wegesrändern zur Geltung, aber auch in Blumenkästen oder anderen Töpfen.

ALTE HEILKUNST

Diptam, auch Brennender Busch genannt (Dictamnus albus), *hat eine lange Tradition als Heilpflanze hinter sich; die Wurzeln wurden einst zur Behandlung bei Fieber und hysterischen Anfällen verwendet. In neuerer Zeit wurde bei Epilepsie eine Mischung aus jenem Wurzelmehl und Pfefferminz eingesetzt: ein Aufguß der Blätter soll Nervosität lindern.*

nach Apfel. Er eignet sich für Blumenkästen und kleine Kübel.

Ein ebenfalls fruchtiges, an Äpfel erinnerndes Bukett verbreitet die *Thuja occidentalis* 'Danica'. Als Zwergform ist sie für Kübel gut geeignet. Die Sorte 'Rheingold' duftet ähnlich und hat eine altgoldene Färbung im Sommer und eine kupferfarbene im Winter; ebenfalls für Kübel geeignet. *Thuja plicata* 'Stoneham Gold' verfügt über eine sehr dichte, goldgelbe Belaubung mit ananasfruchtigem Aroma, für Kübel geeignet.

Die kleine *Chamaecyparis pisifera* 'Filifera Aurea' ist meist von kugeliger Form und goldgelbem Blattwerk. Sie verströmt einen harzigen Geruch; für größere Kübel geeignet. *Chamaecyparis lawsoniana* 'Minima Aurea' entwickelt ein Bukett aus Harz und Petersilie. Sie wächst in Kegelform und hat goldgelbe Blätter.

Zwiebelgewächse im Winter

Diese miniaturhaft kleinen Gewächse eignen sich sehr gut für die Bepflanzung unter laubabwerfenden Bäumen und Sträuchern oder am Rand von winterblühenden Beeten. Man setzt sie in Gruppen, anstatt auf einer größeren Fläche verteilt.

Die Auswahl an Düften ist wie immer groß. Einen Honiggeruch verbreiten *Crocus chrysanthus* mit kugeligen, tief goldgelben Blüten im späten Winter sowie *Iris danfordiae* mit zartbraun gesprenkelten, zitronenfarbenen Blüten von Mitte bis Ende Winter. Einen erdigen, moosähnlichen Geruch verbreitet das Schneeglöckchen *(Galanthus nivalis);* erkennbar durch seine hängenden weißen Blüten mit sechs Blütenblättern und grünen Markierungen auf den inneren Blütenblättern. Blühzeit ab Wintermitte bis zeitiges Frühjahr: gut geeignet für Töpfe. *Iris histrioides* entfaltet zur Wintermitte hin süß duftende, dunkelblaue Blüten mit blassen und gesprenkelten Zonen um den orangefarbenen Kamm. Ein veilchenähnliches Parfum strömt dagegen das Schneeglöckchen *Galanthus elwesii* im späten

Oben: **Seerosen zieren jeden Gartenteich. Es gibt für jede Wassertiefe die passende Sorte, viele davon duften süß.**

Winter und zeitigen Frühjahr aus. *Iris reticulata* duftet ebenfalls nach Veilchen. Die tief violettblaue Blüte mit dem orangefarbenen Fleck auf den Hängeblättern zeigt sich im Spätwinter und Frühjahr.

DUFTENDE WASSER- UND SUMPFPFLANZEN

Wenige Bereiche im Garten üben einen ähnlich beruhigenden Einfluß auf uns aus wie Teiche. Die Spiegelungen auf der Wasseroberfläche schaffen eine heilende und mental erfrischende Atmosphäre. Wenn diese friedvollen Oasen durch gewisse Aromen bereichert werden, helfen sie darüber hinaus, den Genesungsprozeß voranzubringen.

Die Auswahl an Wasser- und Sumpfpflanzen ist groß, und die Duftpalette reicht von Vanille über Moschus, Zimt, Weinbrand, Mandel, Kampfer bis hin zu süßen Aromen.

Wasserpflanzen

Wasser ist von magischer und geheimnisvoller Natur. Es gibt meist nur die Oberfläche preis und hält seine Tiefen verborgen. Die meisten duftenden Wasserpflanzen zeigen sich oberhalb des Wasserspiegels, wenngleich auch einige unter Wasser gedeihen.

Die Teichmummel *(Nuphar lutea)* ist eine winterharte, ausdauernde Wasserpflanze, die Mitte des Sommers hellgelbe, entfernt nach Weinbrand duftende, gut 5 cm große Blüten entfaltet. Die kräftige und raumgreifende Pflanze kommt am besten in großen dominanten Gruppen zur Geltung.

Der strenge, minzige Geruch der Wasserminze *(Mentha aquatica)* sucht seinesgleichen. Als winterharte Staude eignet sie sich für die Pflanzung in flachem Wasser oder in sumpfigen Lagen. Ihre aromatischen, violetten

Oben Mitte: **Die Bezeichnung des nordamerikanischen Stinkkohls *(Lysichiton americanus)*, rührt von seinem unangenehmen Geruch her, den die großen schwefelgelben Blüten von sich geben. Er eignet sich hervorragend zur Pflanzung im feuchten Boden, etwa im Sumpfgarten oder um einen Teich herum.**

Rechts: **Ein Gartenteich voller duftender Wasserpflanzen wirkt am besten, wenn er eingebunden ist in benachbarte Stauden und Staudengewächse. Am Teichrand schaffen größere Kiesel einen gleitenden Übergang zum übrigen Garten.**

Stengel und kleinen lanzettförmigen Blätter tragen lila bis violette Blüten im Sommer; der Geruch ist so stark, daß er andere Pflanzen leicht übertönt.

Zu den Seerosen mit süßlich duftenden Blüten gehören verschiedene Sorten der *Nymphaea odorata*. Es sind ausdauernde und winterharte Pflanzen mit großen, fast runden grünen Blättern, die auf der Wasseroberfläche schwimmen.

Die nach Vanille duftenden Blüten der Wasserähre *(Aponogeton distachyos)* wachsen etwa 10 cm über die Wasseroberfläche hinaus; sie sind umgeben von schmalen, ovalen, hellgrünen Blättern mit kastanienbraunen Markierungen. Als ausdauernde Pflanze treibt sie Jahr für Jahr eine Fülle an Blüten.

Sumpf- und Randpflanzen

Durchfeuchtete Zonen an Teichen mögen auf den ersten Blick unwirtlich erscheinen, können aber schon bald von duftenden Gewächsen überquellen. Einige feuchtigkeitsliebende Pflanzen haben auffallend duftende Blüten, während andere ihr Aroma erst dann freigeben, wenn Stengel oder Blätter zerdrückt werden.

Das Echte Mädesüß *(Filipendula ulmaria)* gehört zu den winterharten und ausdauernden Pflanzen und wird etwa 75 cm hoch und entfaltet im Sommer cremeweiße Blüten, deren Duft an Mandeln erinnert.

Die einjährige *Cotula coronopifolia* wird ungefähr 25 cm hoch und ist ein dankbarer Blüher mit knopfähnlichen, weißen oder gelben Blüten von Mitte bis Ende Sommer.

Ein einzigartiges Parfum aus Zimt, Mandarine und Früchten setzt der panaschierte Kalmus *(Acorus calamnus* 'Variegatus') frei. Diese winterharte Staude wächst sowohl in flachem Gewässer wie auch in sumpfigem Boden am Teichrand. Er wird etwa 1 m hoch, hat breite, steif aufgerichtete, schwertähnliche Blätter mit weißen Streifen. Wenn er zerdrückt wird, geben alle Teile einschließlich der Wurzeln diese Duftmischung von sich.

Die Engelwurz *(Angelica archangelica)* ist eine kurzlebige Staude mit bis zu 2 m hohen und 10 cm breiten, schirmähnlichen, grünlich-weißen oder grünen Blütenköpfen. Die Mitte bis Ende Sommer blühende Pflanze riecht stark nach Moschus.

Der Molchschwanz *(Saururus cernuus)* ist besonders am Teichrand oder für flaches Wasser mit einer Tiefe bis zu 5 cm geeignet. Er bildet Mitte Sommer weiße Blüten inmitten grüner, herzförmiger Blätter.

Von besonders durchdringendem Geruch ist dagegen die winterharte Staude *Houttuynia cordata* 'Plena', die sehr gut in feuchtem Boden oder flachem Wasser bis 5 cm Tiefe gedeiht. Während des Sommers bringt sie büschelweise weiße Blüten in metallisch-blaugrünen, herzförmigen Blättern hervor.

Die Pestwurz *(Petasites fragrans)* ist eine schöne Staude mit rundlichen, gezähnten Blättern und lilafarbenen nach Vanille duftenden Blüten; manche Leute fühlen sich eher an Mandelduft erinnert.

Oben: **Seerosen müssen in Einzelcontainern gezogen werden; man kann sie anfangs auf eine Lage Ziegelsteine setzen, damit die Blätter nicht unter Wasser tauchen. Sind die Blattstiele entsprechend gewachsen, entfernt man die Ziegelsteine und senkt den Container weiter in das Wasser ab.**

DUFTENDE ROSENGÄRTEN

Wenn Rosengärten nicht durch aufregende Düfte betören, sind sie wie Erdbeeren ohne Sahne oder wie Wiener Würstchen ohne Senf. Doch manche Rosenanbeter begeistern sich mehr für ihre Form und Farbe als für die breite Palette an Düften, welche diese heißgeliebten Gehölze verströmen. Ihre Duftnoten reichen von frischem Apfelgeruch bis zu den orientalischen Untertönen von Moschus und dem fruchtigen Bukett von Bananen.

Diese reichen, differenzierten Düfte finden sich sowohl in den ursprünglichen Rosenarten als auch in den verschiedenen Kreuzungen, insbesondere der „Alten Rosen" aus der Zeit vor 1867. Vor etwa 30 Jahren begann der englische Rosenzüchter David Austin viele reichblühende Rosenarten zu entwickeln, die heute als „New English Roses" bekannt sind.

Die Duftpalette der einzelnen Rosensorten

Apfel: 'Max Graf' hat ein buschiges Aussehen und eignet sich gut als Bodendecker mit seinen einzelnen rosafarbenen Blüten. 'Nymphenburg' wirkt durch ihre gefüllten Blütenbüschel in warmem Lachsrosa mit einem Hauch von Kirschrot; die Basis der Blütenblätter ist orangegelb.

Banane: Danach duftet 'Dupontii', eine Wildrosenkreuzung mit rosaweißen, cremefarbenen Blüten mit gelben Staubbeuteln.

Klee: 'Fritz Nobis' entwickelt fleischfarbene Blütenbüschel mit dunkleren Tönungen. Die bodendeckende Wildrosen-Hybride *Rosa paulii* entfaltet reinweiße Blüten mit goldenen Staubgefäßen.

Fruchtig: Verschiedene New English Roses verströmen dieses angenehme Aroma: 'Abraham Darby' mit großen Schalenblüten in gelben und aprikosenfarbenen Schattierungen. 'Charles Austin' mit Schalenblüten in aprikosenfarbenen und gelben Farbtönen; mit der Zeit heller werdend. 'Belle Story' mit großen, blaßrosafarbenen Blüten und ausgeprägten Staubbeuteln in der Mitte.

Zitrone: 'Mme. Hardy' gehört zu den Damaszenerrosen und besticht durch anfangs schalenförmige, große, gefüllte, weiße Blütenstände. Die Tee-Hybride 'Blue Moon' entwickelt große flieder- bis malvenfarbige Blüten an aufrechten, gutverzweigten Stielen. Die neuenglische Rose 'Heritage' offenbart perlmuttrosafarbene, mittelgroße Schalenblüten.

Flieder: Dieses herrliche Frühsommerbukett verströmt die moderne Strauchrose 'Lavender Lassie' mit gefüllten rosafarbenen, lavendelübertönten Blüten.

Maiglöckchen: Dieses starke Aroma verströmt 'Double White', die ursprünglich aus der Bibernellrose *(Rosa pimpinellifolia),* der hervorgegangen ist. Kleine, vollgefüllte weiße Blüten kennzeichnen die Sorte.

Moschus: Ruft Märchen aus 1001 Nacht wach. 'Cardinal Hume' gehört zu den „New English Roses" mit tief-

LINDERUNG BEI AUGENLEIDEN

Die in Asien beheimatete Houttuynia cordata *besitzt Blätter, die bei Augenkrankheiten eingesetzt werden. Ebenso werden Nieren- oder Blasenbeschwerden damit behandelt.*

Rechts: Von duftenden Kletterrosen überwucherte Mauern, Pergolen und Spaliere sind ein unvergeßlicher Anblick. Die englische Züchtung 'Heritage' blüht regelmäßig den ganzen Sommer über und bildet dichtgefüllte Blüten in reinstem Perlmuttrosa. Ihr frischer Duft erinnert an die „Alten Rosen" vor 1867. Normalerweise wächst sie als Strauch, rankt aber auch schön an Mauern empor, sofern ihr ein warmer geschützter Platz zubedacht wird.

Gegenüberliegende Seite: Die *Rosa Gallica* 'Tuscany Superb' wächst zu einem großen Busch heran und entwickelt tief purpurfarbene, duftende Blüten.

violetten Blüten, die in Form und Züchtung auch an „Alte Rosen" erinnern. 'Daybreak' besitzt kleine tiefgelbe Knospen, die sich zu halbgefüllten gelben Blüten mit dunkelgoldenen Staubfäden öffnen. 'Moonlight' ist ebenfalls eine Moschushybride mit halbgefüllten cremeweißen Blüten.

Myrrhe: Einige Züchtungen der „New English Roses" enthalten diesen Geruch, z. B. die Sorten 'Chaucer' mit tiefen, rosaroten Schalenblüten, 'Cressida' mit großen aprikotfarbenen Blüten und 'Cymbeline' mit locker gefüllten, grau-rosafarbenen Blütenständen.

Old Rose-Duft: Ein wahres Potpourri edler Düfte verströmt diese Züchtung der „New English Roses", z. B. 'Othello' mit großen tiefpurpurnen Blüten, die sich später in Schattierungen von Mauve bis Violett verändern. 'The Countryman' ist das Ergebnis einer Kreuzung von „New Englisch Rose" mit einer Portland-Rose. Die rosaroten Blüten öffnen sich flach zu einer Rosette mit vielen Blütenblättern.

Himbeere: Dieses frische fruchtige Bukett findet sich in verschiedenen Rosen: 'Adam Messerich', eine Bourbon-Rose, zeichnet sich durch große halbgefüllte Blüten in reinem Rosa aus, während die Bourbon-Rose 'Honorine de Brabant' blaßrosa Blüten mit Streifen und Flecken von Purpur und Mauve hervorbringt. 'Cerise Bouquet', eine „Moderne Strauchrose" mit halbgefüllten kirschrosafarbenen Blüten an langen Blütenzweigen, verströmt einen ähnlichen Duft. So auch *Rosa canina* 'Andersonii', eine Wildrosenhybride mit leuchtendrosa, ungefüllten Blüten.

Duftwicke: Ein einzigartiger Duft, der sich z. B. in 'Vanity', einer Moschushybride mit großen, ungefüllten, tiefrosafarbenen Blüten an zierlichen Zweigen wiederfindet.

Teerose: Dieses Parfum erinnert, wie der Name schon sagt, an ein frisch geöffnetes Päckchen Tee. Dazu gehören 'Buff Beauty', eine Moschushybride mit mittelgroßen Blütenbüscheln von einer warmen aprikosengelben Tönung sowie die Sorte 'Graham Thomas', eine „New English Rose" mit mittelgroßen, schalenförmigen, tiefgelben Blüten. 'Lady Hillingdon' besitzt wunderschöne Knospen und Blüten in verschiedenen Rosatönungen. 'Le Vesuve', eine China-Rose, bringt cremerosa Blüten hervor, die später in ein schönes Kupferrosa übergehen.

DUFTENDE KLETTERPFLANZEN

Duftende Kletterpflanzen an Spalieren, Bäumen, Pergolen und rustikalem Holzwerk gehören zu den attraktivsten Gewächsen im Garten. Die Duftpalette ist breit – einige sind von schwerem süßem, betäubendem Aroma, besonders während warmer Sommernachmittage; andere überraschen mit einer Spannweite von Myrrhe bis Apfel und Klee bis Vanille. Verschiedenste Rosensorten tragen zu dieser Duftpalette bei.

Verschiedene Duftnoten

Die meisten Kletterpflanzen verströmen einen süßen Duft, doch es gibt noch differenziertere und aufregendere Varianten:

Duftender Himmelschlüssel: Die sommergrüne *Clematis rehderiana* bringt kleine, glockenförmige, grüngelbe Blüten im späten Sommer und Herbst hervor.

Weißdorn: Clematis flammula, eine sommergrüne Kletterpflanze mit leuchtendweißen Blüten, blüht in lockeren Gruppen während des Spätsommers bis in den Herbst.

Honig: Dieser fast berauschende Duft findet sich in *Lonicera x americana,* einer halbimmergrünen oder sommergrünen Kletterpflanze mit weißen oder cremefarbenen Blüten, die im Sommer gelb mit einem violetten Ton an der Außenseite werden. Die verwandte Art *Lonicera x heckrottii* ist absolut winterhart, sommergrün, von strauchähnlichem Habitus und trägt gelbe Blüten vom mittleren bis zum späten Sommer.

Jasmin: Dieser orientalische Duft entfaltet sich in *Jasminum officinale.* Es handelt sich um eine sommergrüne Kletterpflanze mit weißer Blüte, die in lockeren Büscheln vom mittleren bis späten Sommer wächst.

Süße Duftnote: Viele Kletterpflanzen verbreiten dieses angenehme Aroma, so

DIE APOTHEKER-ROSE

Im 13. Jahrhundert wurde die Stadt Provins südöstlich von Paris berühmt für ein spezielles Gewerbe, das mehr als 600 Jahre bestehen sollte. Man fand heraus, daß die Blütenblätter der roten halbgefüllten Rosa gallica officinalis *nach Trocknung ihren besonderen Duft beibehielten. Angeblich soll für Marie Antoinette anläßlich ihres Besuches in Provins im Jahre 1770 ein Bett mit jenen Rosenblüten bereitet worden sein. Die Apotheker-Rose war wahrscheinlich eine der ersten europäischen Rosen, die in Nordamerika eingeführt wurden. Sie wurde nicht nur wegen ihrer Schönheit gerühmt, sondern auch wegen ihrer medizinischen Eigenschaften.*

auch der *Jasminum polyanthum*, eine nicht ganz harte, halbimmergrüne Pflanze mit weißen und blaßrosa Blüten vom Frühjahr bis zur Sommermitte.

Lonicera caprifolium, bei uns unter Jelängerjelieber bekannt, ist eine sommergrüne Kletterpflanze mit cremeweißen Blüten im Sommer, die rosa überhaucht sind. *Lonicera hildebrandiana* hat ebenfalls süßduftende Blüten. Sie gehört zu den nicht ganz harten, immergrünen, teilweise sommergrünen Kletterpflanzen und verfügt im Sommer über große, cremeweiße Blüten. *Loni-*

DUFTENDE INNENRÄUME

Seit Tausenden von Jahren verwendet man im Haus verschiedenste Duftaromen, teils um unangenehme Haushaltsgerüche zu übertönen, teils um Keime und Insekten abzuwehren.

Diese Aromastoffe gibt es in vielen Facetten, von duftenden Riechsträußchen aus Gartenblumen bis zu Potpourris, Mottensäckchen und Blumenwassern. Hier zeigen wir einige Beispiele:

Potpourris: Eine Mischung von getrockneten Blütenblättern und Gewürzen, die in ein offenes Gefäß gelegt werden, um die Luft zu parfümieren. Sie wird entweder „trocken" oder „feucht" verwendet; beide verbreiten wunderbare Aromen. Die feuchte Mischung ist optisch nicht sehr ansprechend, während die trockene, dekorativere in regelmäßigen Abständen eine Auffrischung mit ätherischen Ölen benötigt.

Kräutersäckchen: Süß duftende Blumen, Gewürze und Kräuter in kleinen attraktiven Säckchen eignen sich sehr gut, um Frische und Duft in Wäscheschränke, Kommoden und Kammern zu bringen. In den Rezepten findet man Rosenblüten, zerstampften Rosmarin, zermahlene Wurzeln der

Florentiner Iris sowie Lavendel, Zimtstangen und ätherische Öle.

Badezusätze sind eine hervorragende Methode, dem Badezimmer Wohlgeruch zu verleihen. Um das Wasser weich zu machen und die Bestandteile austreten zu lassen, füllt man ein Leinentäschchen mit duftenden Pflanzen, Milchpulver und Hafermehl.

Als Pflanzen verwendet man z. B. Rosmarin, Zitronenbalsam, Pfefferminz, Orangenschale, Lavendel, Ringelblume und Rosenblüten. Die Täschchen werden so in die Badewanne gehängt, daß das Wasser hindurchfließen kann.

Blütenwasser: Viele duftende Wässerchen kann man selbst herstellen; sie sind nicht so schwer wie Kölnisch Wasser und können als Eau de toilette oder Erfrischungswasser verwendet werden. Meist handelt es sich um eine Mixtur aus Duftpflanzen, Wasser und fallweise ätherischen Ölen. Manchmal wird Alkohol zugesetzt.

Mottensäckchen: Verschiedene Pflanzen sind durch ihre Eigenschaft, Motten zu vertreiben, bekannt geworden, so z. B. die Eberraute, die Raute,

der Rainfarn und Rosmarin.

Duftkränze: Kränze bringt man meist mit Beerdigungen und Gedenktagen in Zusammenhang. Wenn sie jedoch aus duftenden Blumen und Kräutern geflochten sind, erlangen sie eine andere Bedeutung und sorgen das ganze Jahr über für ein angenehmes Aroma.

Oben: Die zarten Blüten der Passionsblume *(Passiflora caerulea)* bieten einen zauberhaften Anblick. Sie gedeiht vortrefflich an geschützten, warmen Wänden.

cera japonica blüht bis zum Herbst weiß bis blaßgelb. *Lonicera periclymenum* 'Belgica' ist eine sommergrüne Kletterpflanze mit rotvioletten und gelben Blüten im frühen und mittleren Sommer. *Lonicera periclymenum* 'Serotina', ebenfalls sommergrün, verströmt einen ähnlichen Duft. Ihre Blüten haben im Hochsommer cremeweiße Innenseiten und rötlichviolette Außenseiten. Wenige Kletterpflanzen verfügen über derart charakteristische Blüten wie die Passionsblume *(Passiflora caerulea)*. Sie ist nicht ganz winterhart, hat rosa übertönte, weiße Blütenblätter und ein blauviolettes Zentrum. Blühzeit ist im frühen bis späten Sommer. Die Duftwicke *(Lathyrus odoratus)* hat einen sehr speziellen Duft. Sie gehört den rankenden winterannuellen Gewächsen an und blüht in wohlbekannten, erbsenähnlichen Blüten, die rosa, weiß oder violett sein können. Blühzeit ist Sommermitte bis Herbst. Verschiedene Glyzinen verströmen ein Vanillearoma: z. B. die aus Japan stammende *Wisteria floribunda* mit großen hängenden, violettblauen Blütenbüscheln während des Vorsommers; oder die aus China kommende *Wisteria sinsensis,* die im Frühsommer malvenfarben blüht. Beide sind winterharte und laubabwerfende Kletterpflanzen.

DUFTPRIMELN

Einige Duftprimeln gedeihen gut in feuchtem Boden und werden am besten in größeren Gruppen – und nicht isoliert – gepflanzt.

Primula beesiana entwickelt im Sommer Quirle von duftenden lilavioletten Blüten. Tief wurzelnd, erfordert sie eine langsame, regelmäßige Bewässerung. *Primula denticulata,* eine weitverbreitete und bekannte Kugelprimel, bildet dichte kugelige, ca. 7 cm große Blütenköpfe mit lavendelblauen Blüten im Frühling und frühen Sommer. Es gibt auch rosaviolette und weiße Sorten; alle duften nach Honig. Wie viele Primeln, ist sie nicht für winterwarme Regionen geeignet. *Primula florindae,* die Glockenprimel, zeigt im frühen und mittleren Sommer süße blaßgelbe, glockenförmige Blüten. *Primula prolifera* (oder *P. helodoxa)* hat dagegen goldgelbe Blüten. *Primula sikkimensis* stammt ursprünglich aus dem Himalaya und entfaltet vom frühen bis zum mittleren Sommer besonders süße, blaßgelbe Blütenbüschel.

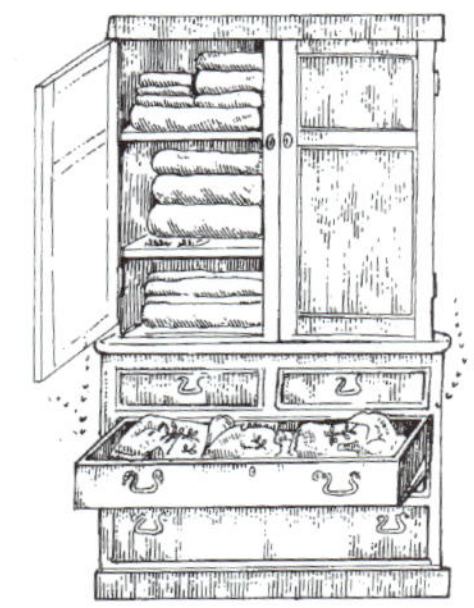

FRENCH CONNECTION

Bereits im 19. Jahrhundert kannten die Franzosen den Wert der Eberraute (Artemisia abrotanum), *die ursprünglich aus Südeuropa stammt. Sie wurde in Kleiderschränke und Kommoden gelegt, um Motten und andere Insekten abzuhalten.*

Oben: Die nach Vanille duftenden Blüten der Chinesischen Glyzine *(Wisteria sinensis)* wachsen im Frühsommer in großen herabhängenden Büscheln.

Duftende Kletterrosen

Rankende Rosen verfügen über lange, flexible Stiele, an denen viele kleine, rosettenförmige Blütenbüschel gedeihen. Sie eignen sich hervorragend, um an Torbögen und Pergolen emporzuranken oder sich um Bäume zu schlingen; oft wachsen sie in einer Saison mehr als 3 m. Kletterrosen dagegen bilden ein dauerhafteres Rahmenwerk mit ihren Zweigen, an denen Einzelblüten oder kleinere Blütenbüschel vorkommen. Sie sind bestens geeignet, um an stabilen Gittern oder Hauswänden zu wachsen.

Apfel: Verschiedene rankende Rosenarten tragen dieses frische Bukett, z. B. 'François Juranville', die sich durch korallenrosa Blüten auszeichnet. Oder 'René André' mit seinen kleinen, schalenförmigen aprikosengelben Blüten. 'Paul Transon', dagegen offenbart kleine Büschel von kupferorangefarbenen Blüten.

Klee: Die Kletterrose 'Blush Noisette' hat kleine, schalenförmige, halbgefüllte lila- und rosafarbene Blütenbüschel.

Fruchtig: 'Albéric Barbier' bildet gelbe Knospen, die sich zu gefüllten cremeweißen Blüten öffnen. 'New Dawn', ebenfalls eine Kletterrose, hat silbrig-rosa Blüten, die zur Mitte hin dunkler werden.

Zitrone: 'Leverkusen' zeigt rosettenförmige, zitronengelbe Blüten. *Rosa bracteata* verströmt einen ähnlichen Duft aus ihren großen, silbrig-weißen Blütenständen.

Moschus: 'Aimée Vibert' ist eine Kletterrose mit grazilen, gefüllten, reinweißen Blüten und gelben Staubgefäßen. Die Moschus-Rose *(Rosa moschata)* ist eine Kletterrose voller einfacher, schimmernder weißer Blüten.

Myrrhe: Die englische Züchtung 'Constance Spry' wächst manchmal wie eine Kletterrose. Sie bildet rosafarbene Blüten. 'Cressida' zählt ebenfalls zur „New English Rose“ und wird häufig als Kletterrose gezogen. Sie entwickelt große, aprikotfarbene Blüten.

Orange: Dieses frische Aroma strömt aus der rankenden Rose 'The Garland', die von kleinen lachsrosa Blüten überquillt. 'Veilchenblau' riecht ähnlich und entfaltet kleine dunkelrote Blüten, die zu einem Lila verblassen.

Pfingstrose: 'Gerbe Rose' hat gefüllte Blüten in weichem Rosa, cremefarben überhaucht.

Primel: 'Adelaide d'Orléans' besitzt schmale, halbgefüllte cremeweiße Blüten. 'Débutante', ebenfalls rankend, verströmt den gleichen Duft und bringt Ranken mit schmalen, rosaroten Blüten hervor. Von ähnlichem Duft ist 'Félicité et Perpétue', eine Kletterrose mit großen kugeligen, cremeweißen Blütenbüscheln.

ANTIKE IRIS

Die Wurzelknollen der früher als *Iris florentina (Iris germanica florentina)* bekannten Schwertlilie duften stark nach Veilchen; sie werden seit mehr als 2000 Jahren in der Schönheitspflege angewendet.

Die Wurzelknollen wurden ausgegraben, gesäubert, getrocknet, zerstampft und danach in vielen Präparaten, auch als Zahnpulver, genutzt. Das Parfum intensiviert sich noch, sobald die Wurzeln getrocknet sind.

In der Medizin verwendet man noch heute ihren Saft zur Behandlung von Wasserödemen, während die trockenen Wurzeln bei Lungenbeschwerden helfen.

Gewürz: 'Dreamgirl', entwickelt rosettenförmige korallenrosa Blüten.

Duftwicke: 'Mme Grégoire Staechelin' hat halbgefüllte leuchtendrosa Blüten.

Teerose: Dieser Duft verschiedener Kletterrosen erinnert an frühere Zeiten. 'Lady Hillingdon' hat intensiv aprikotfarbene Blüten. 'Souvenir de la Malmaison' entwickelt dagegen große, kugelige, rosarote Blüten.

AROMATISCHE STRÄUCHER

Sträucher mit aromatischen Blättern sind oft eine willkommene Bereicherung im Garten, da sie über das ganze Jahr anregende und ungewöhnliche Düfte verströmen. Die aus ihrem Blattwerk austretenden Duftstoffe rufen häufig die Wärme und die Atmosphäre südlich-mediterraner Länder hervor. Verschiedene bekannte Gartensträucher lassen sich zu ätherischen Ölen verarbeiten, z. B. Rosmarin *(Rosmarinus officinalis)*, Myrte *(Myrtus communis)* und Lavendel *(Lavandula stoechas)*. Die meisten dieser Sträucher, besonders wenn sie in warmer, geschützter Lage wachsen, lassen ihre Essenz schon im Vorbeigehen erahnen. Der englische Schriftsteller und Gartenliebhaber John Evelyn berichtete im 17. Jahrhundert, daß der Duft des Rosmarins bereits 100 Kilometer vor der spanischen Küste wahrgenommen worden sei. Wenn man die Rosmarinpflanzen niedrig und buschig ziehen möchte, sollte man ein möglichst großes Gefäß verwenden. Man setzt fünf bis sieben sehr kleine Pflanzen zusammen und knipst sofort die wachsenden Triebe ab, damit die Pflanzen buschig werden. In den folgenden zwei Jahren verfährt man mit allen Sprößlingen in derselben Weise.

Mit der Zeit wird das Gefäß von Blüten und Blättern überwuchert sein. Als Standort eignet sich der Eingangsbereich, am besten an jeder Seite ein Topf.

Duftende Sträucher sind auch als Wegeinfassungen beliebt, besonders an Kreuzungen, wo sie wegen ihrer Langlebigkeit zu Orientierungspunkten werden. Zu den Gartensträuchern mit duftender Belaubung gehören:

Kamille: Das Heiligenkraut *(Santolina chamaecyparissus)* ist winterhart mit aromatischer, quirlig-dichter, silbriger Belaubung. Im Hochsommer bringt es zitronengelbe Blüten hervor. *Santolina pinnata neapolitana* verströmt den gleichen Duft. Es ist ein winterhartes

Links: Duftwicken zieht man jährlich neu. Ihr lockeres, anmutiges Rankwerk ruft die Stimmung in Bauerngärten wach.

DER STECHGINSTER

Der hellgelb blühende Ginster (Ulex europaeus) *hat in vielfältiger Weise Verwendung gefunden: z. B. als Brennstoff für Backöfen, um Holzkohle herzustellen oder als Viehfutter, nachdem die Dornen in einer besonderen Mühle gebrochen waren. In vielen Gegenden stand der Ginster das ganze Jahr in Blüte, so daß die Redewendung entstand:* Hört der Ginster auf zu blühen, endet auch das Küssen.

Gehölz mit fiedrigen, grauen Blättern und zitronengelben Blüten zur Sommermitte. In kälteren Regionen erfordert es Winterschutz.

Curry: Schon der Name Curry-Pflanze deutet auf das Aroma von *Helichrysum italicum* hin, einer winterharten, verholzenden Pflanze mit silbriggrauen, nadelähnlichen Blättern. Attraktive senfgelbe Blüten erscheinen von Früh- bis Spätsommer.

Harz: Die spanische Zistrose *(Cistus ladanifer)* gehört zu den zarten immergrünen Sträuchern mit mattgrünen, schmalen, lanzettförmigen Blättern und weißen Blüten mit gelben Staubfäden im Frühsommer.

Lavendel: Es gibt verschiedene sehr schöne Lavendelarten, darunter mit dem Duft des Old English Lavender *(Lavandula angustifolia)*. Der Lavendel ist ein winterhartes, immergrünes Gehölz mit silbriggrauen, schmalen Blättern und blassen, graublauen Blüten von Mitte bis Ende Sommer. Der französische oder spanische Lavendel *(Lavandula stoechas)* gehört ebenfalls zu den harten immergrünen Gehölzen, verfügt jedoch über schmale, graugrüne Blätter und dunkelviolette Blüten an langen Strängen.

Zitrone: Der stark nach Zitrone duftende Zitronenstrauch *(Aloysia triphylla)* ist ein eher zarter, laubabwerfender Strauch mit blassen bis mittelgrünen, lanzettförmigen Blättern, die beim Zerreiben das intensive Zitronenaroma freigeben. Im Spätsommer erscheinen kleine, röhrenförmige, bläßlich-mauvefarbene Blüten.

Myrte: Die Myrte *(Myrtus communis)*, auch Brautmyrte genannt, ist ebenfalls nicht ganz frosthart. Der immergrüne Strauch trägt glänzende mittelgrüne, ovale bis lanzettförmige Blätter, die das charakteristische Aroma der Myrte verströmen. Im Sommer blüht er weiß oder rosa.

Orange: Der Mexikanische Orangenbusch *(Choisya ternata)* ist ein nichtwinterharter, immergrüner Strauch mit weißen Blüten und glänzenden grünen Blättern, die beim Zerreiben einen Orangenduft freigeben.

Herbe und beißende Gerüche verströmt die Weinraute *Ruta graveolens*, ein winterharter, immergrüner Strauch mit blaugrünen Blättern, die von einem feinen weißen Schimmer überzogen sind. Senfgelbe Blüten während des mittleren und späteren Sommers.

Scharf: Der Wermut *(Artemisia absinthium)* ist ein halbimmergrünes oder laubabwerfendes Halbgehölz mit graugrünen, wolkig-fiedrigen Blättern und matt-gelben Blüten vom späten Sommer bis zum Herbst.

Wintergrün: Das Wintergrün *Gaultheria procumbens*, auch Scheinbeere genannt, ist ein winterharter, immergrüner Strauch mit glänzenden dunkelgrünen Blättern. Er verströmt das herbe Aroma von Wintergrün.

STRÄUCHER FÜR DEN SOMMER

Im Sommer stehen fast alle Sträucher und Bäume in voller Blüte. Die meisten duften süß, wenngleich es auch einige gibt, die äußerst ungewöhnlich riechen. Nachstehend einige dieser ausgefallenen Duftnoten:

Herb: Der Elfenbeinginster *(Cytisus x praecox)* ist ein laubabwerfender Strauch mit cremeweißen, erbsenförmigen Blüten im Spätfrühling und Frühsommer.

Mandeln: Die Traubenkirsche *(Prunus padus* 'Grandiflora') ist ein herrlicher Baum mit schlanken hängenden Blütenköpfen voller kleiner weißer Blüten im frühen Sommer. Auch die japanische Yoshinokirsche *(Prunus x yedoensis)* bildet im Frühling weiße hängende Blütenbüschel.

Schlüsselblume: Dieser zarte und feine Duft kommt in der Scheinhasel *(Corylopsis pauciflora)*, einem winterharten Strauch, vor. Die zarten, primelgelben Blüten sind glockenförmig und blühen von Mitte bis Ende Frühling. *Corylopsis willmottiae* ist ebenfalls winterhart und entwickelt im Frühjahr grünlichgelbe hängende Blütenbüschel.

Honig: Der Besenginster *(Spartium junceum)* ist ein laubabwerfender Strauch mit leuchtend goldgelben, erbsenförmigen Blüten auf binsenähnlichen Stielen während des mittleren und späten Sommers.

Zitrone: Magnolia sieboldii (früher auch *M. parviflora)* wird ein laubabwerfender Strauch oder Baum genannt, der über schalenförmige, hängende, weiße Blüten mit weinroten Staubfäden verfügt. Blühezeit: früher bis später Sommer.

Maiglöckchen: Skimmia japonica 'Fragrans' lautet die Bezeichnung des immergrünen Strauches mit kleinen weißen Blütensternchen im späten Frühjahr.

Ananas: Cytisus battandieri ist bei uns nicht winterhart und bildet große aufrechte goldgelbe Blütenbüschel im früheren Sommer; er benötigt eine warme Mauer als Schutz vor niedrigen Temperaturen.

Gewürz: Dieses interessante Aroma verströmt z. B. die *Magnolia grandiflora* 'Exmouth'. Sie ist immergrün und entfaltet im Sommer cremeweiße Kugelblüten. Die Goldjohannisbeere *(Ribes aureum,* früher *R. tenuiflorum)* gehört zu den laubabwerfenden Sträuchern mit röhrenförmigen, leuchtendgelben Blüten in hängenden Rispen während des späten Frühjahrs.

Vanille: Die immergrüne *Azara microphylla* ist ein Strauch – oder kleiner Baum – mit gelben Blüten im Spätfrühling. Sie gedeiht nur an einer warmen, sonnigen Mauer.

Veilchen: Dieses feine Parfum findet sich in *Malus coronaria* 'Charlottae', einem Apfelbaum mit großen, halbgefüllten rosa Blüten im Spätfrühling.

Gegenüberliegende Seite: **Die Weinraute *(Ruta graveolens)* verströmt einen herben, durchdringenden Geruch und wurde in früheren Jahren zur Reinhaltung der Luft verwendet, insbesondere in Gefängnissen und bei Gerichtssitzungen. Im Mittelalter behandelten Mönche damit Augenleiden.**

Links: **Hochbeete und verschiedene Gefäße geben auch Gartenfreunden, die körperlich behindert sind, die Möglichkeit, eine Fülle von Pflanzen zu kultivieren. Wichtig ist, dafür zu sorgen, daß die Wege gut befestigt und eventuell breit genug für Rollstühle sind.**

FRIEDENSPFEIFE

Kalumet wird die Friedenspfeife der nordamerikanischen Indianer genannt. Tabak wurde als geheiligtes Kraut verehrt; man rauchte, um den Gedankenaustausch zu fördern und kriegerische Auseinandersetzungen beizulegen.

Oben: Die Blüten des Waldgeißblattes (*Lonicera periclymenum* 'Serotina'), verströmen einen unvergeßlich süßen Duft. Diese Kletterpflanze ist bei uns auch unter dem Namen Jelängerjelieber bekannt.

DUFTENDE BLUMENBEETE

Die meisten Blumenbeete bestehen aus einem bunten Gemisch von Stauden, Zwiebelpflanzen, Sommerblumen und Sträuchern. Alle verfügen über verschiedene Duftnoten, die den Garten in Schwingung versetzen.

Zitrone: Dictamus albus, auch Brennender Busch oder Diptam genannt, ist eine schöne winterharte Staude mit weißen, spinnenähnlichen Blüten im Frühsommer.

Klee: Babiana plicata ist eine nichtwinterharte Knollenpflanze mit blassen lila-mauvefarbenen Blüten im Frühsommer.

Fruchtig: Die Zwergiris *(Iris pumila)* bringt im Frühjahr Blüten in einer Farbpalette von Violett, Weiß bis gelbbraunen Tönungen hervor.

Honig: Die Madonnenlilie *(Lilium candidum)* ist ein winterhartes Zwiebelgewächs mit glockenförmigen reinweißen Blüten, die goldene Staubbeutel aufweisen. Blühzeit: Spätsommer. *Scabiosa atropurpurea* (auch unter dem Namen Trauernde Witwe bekannt) ist eine winterannuelle Beetpflanze mit dunkelpurpurroten Blütenköpfen von Mitte bis Ende Sommer. Es gibt viele verschiedene Sorten und Farben.

Jasmin: Die langblütige Lilie *(Lilium longiflorum)* gehört auch zu den winterharten Zwiebelpflanzen. Sie zeichnet sich durch ihre trompetenförmigen weißen Blüten mit goldenen Pollenbeuteln aus. Blühzeit: mittlerer bis später Sommer.

Moschus: Die wohlriechende Kornblume, auch Flockenblume genannt *(Centaurea moschata),* ist eine winterharte Beetpflanze mit kornblumenähnlichen Blütenköpfen. Sie blüht vom frühen Sommer bis zum Herbst in den Farben Weiß, Rosa, Gelb und Violett. Die Moschushyazinthe *(Muscari muscarimi* oder *M. moschatum)* ist ein ausdauerndes Zwiebelgewächs. Die zunächst violettgefärbten Blüten gehen vom Frühling bis zum Frühsommer in grünlichgelbe und leuchtendgelbe Farbtöne über.

Pflaume: Diese ungewöhnliche Duftnote kommt z. B. im Frühsommer in der *Iris graminea* vor, einer bartlosen Iris mit rotvioletten Blüten. *Muscari racemosum* gehört zu den winterharten Zwiebelgewächsen mit tiefblauen Blüten und weißer Öffnung im Frühling.

Salbei: Der weiße Salbei *(Artemisia ludoviciana)* ist eine winterharte Staude mit aromatischen Blättern und gelben Blüten im späten Sommer und Herbst. *Artemisia stelleriana* entwickelt ebenfalls weiße Blätter und gelbe Blüten.

Vanille: Die Baumlupine *(Lupinus arboreus)* ist eine kurzlebige, verholzende Staude mit zitronengelben Blüten während des ganzen Sommers.

GÄRTEN FÜR SEHBEHINDERTE MENSCHEN

Düfte spielen eine wichtige Rolle für Menschen, die unter Sehstörungen leiden. Eine Kombination von stark duftenden Pflanzen mit solchen, die sich erst durch einen leichten Wind entfalten, bereichert das Gartenerlebnis!

Wege im Garten

Befestigte Wege – vorzugsweise ohne Stufen, scharfe Kurven oder Senken mit Wasserlachen – sind wichtig, um eine vertrauensvolle Atmosphäre im Garten zu schaffen. Wege sollten auch breit genug sein, damit mindestens zwei Personen nebeneinander spazierengehen können. Wenn der Untergrund relativ flach ist, bilden Pflastersteine eine ideale Oberfläche. Sollte es leichte Abhänge geben, sind Beläge aus verschiedenen Materialien die bessere Wahl. Wenn möglich sollte man einen breiten mittleren Pflasterstreifen anlegen, der ungefähr 30 cm breit mit kleinen Kieselsteinen auf jeder Seite aufgefüllt wird.

Randbegrenzungen werden nötig sein, damit die Kieselsteine nicht über den Wegesrand hinausrollen. So können sehbehinderte Menschen deutlich wahrnehmen, wann der feste Teil des Weges zu Ende ist.

Pergolen, Bögen und freistehendes Gitterwerk

Alle diese Rankhilfen sind bestens für Kletterpflanzen geeignet, damit der Duft in Augenhöhe eingeatmet werden kann. Man sollte keine Kletterpflanzen mit Dornen, wie etwa Rosen, verwenden; denn ein lose hängender Zweig kann leicht ins Gesicht schlagen. Rankende Rosen kann man gut an Pfähle anbinden, die weit genug vom Weg entfernt sind. Denn es wäre sehr schade, auf Rosen verzichten zu müssen.

Links: Spezielle Vorrichtungen im Garten helfen sehbehinderten Menschen, sich zwischen den Beeten sicher zu bewegen, selbst wenn an einem Hang Treppen und terrassierte Wege angelegt wurden.

WOHLTUENDE KLÄNGE

Gärten sind voller Laute, angefangen vom Rascheln der Blätter bis hin zum gleichmäßigen, beruhigenden Plätschern des Wassers. Mit ihrem breiten Spektrum von Revier- und Balzrufen vervollständigen die Vögel unsere heimische Klangwelt.

Selbst das Geräusch beim Gehen über knirschendes Herbstlaub oder überfrorenes Gras kann tröstlich und stimmungsvoll sein; vielleicht fühlen wir uns an eine bestimmte Jahreszeite erinnert.

Auch der monotone und doch lebendige Klang des Wassers, das aus einem Springbrunnen spritzt oder in Kaskaden herabfällt, vermittelt eine tröstliche und ermutigende Atmosphäre, insbesondere an heißen Sommertagen, wenn die Temperaturen dort niedriger empfunden werden, als sie in Wirklichkeit sind.

KLANGWIRKUNGEN

Laute beeinflussen unser Leben und jeder würde darin übereinstimmen, daß Gärten mit ihrer Bandbreite an natürlichen Klängen unser Wohlbefinden und unsere Lebenskraft steigern.

Sogar in der Stille des Winters wirken Bäume, Sträucher und Rasenflächen unter ihren Schneedecken vertrauenerweckend. Sie erzeugen eine kontemplative Stimmung und tragen dazu bei, Streß abzubauen.

Es gibt auch eine These, die besagt, daß uns selbst Klänge bestimmter Wörter und Buchstaben beeinflussen. Wenn z. B. der Laut „O" auf einem speziellen Apparat bildlich dargestellt wird, ergibt sich ein perfektes, sphärisches Gebilde.

Wird „O" mit dem Laut „M" kombiniert, resultiert daraus eine grundlegende und wichtige Lautverbindung, die in vielen Kulturen zu finden ist. In fast allen fernöstlichen Entspannungstechniken gilt der Laut „OM" oder „AUM" als die Basis aller Dinge.

Grundzüge der Tontherapie

Die wissenschaftliche Anwendung der Tontherapie setzt eine bestimmte elektronische Apparatur voraus, mit der Tonwellen auf den zu behandelnden Körperteil übertragen werden.

Mit der Tontherapie werden viele medizinische Probleme behandelt, darunter Gelenkrheumatismus, Muskelerkrankungen, Bindegewebsschwächen, Knochenkrankheiten, Verstauchungen und Zerrungen. Diese Heilbehandlungen können nur mit besonderem Fachwissen und entsprechenden Geräten ausgeführt werden. Dagegen ist eine schöne Klangpalette im Garten etwas, das wir uns selbst gestalten können.

Das Anlocken von Vögeln

Selbst Gärtner, die keine ausgesprochenen Vogelkenner sind und einen Sperling nicht von einem Seeadler unterscheiden können, bekunden gewöhnlich Interesse an Vögeln, die sich in ihrem Garten aufhalten.

Würmer- oder insektenfressende Vögel sind vor allem beim Umgraben eines

Gegenüberliegende Seite: Natürliche Teiche im Garten schaffen eine Zone der Ruhe, Meditation und Kontemplation. Das Wechselspiel auf der Wasseroberfläche, die Bewegungen von Fischen und anderen Wassertieren erfüllen diese Bereiche mit Leben.

Oben Mitte: Wasser zieht unsere Aufmerksamkeit an, auch als noch so winziges Tröpfchen an einem Blatt.

Vogelkonzerte im Garten

Auf der ganzen Welt erfüllen Vögel die Gärten mit ihren charakteristischen Lauten. Sie wiederholen ihre Rufe und Warnungen ständig und sind Teil unseres Lebens. Das wiederkehrende, schöne und sehr differenzierte Gezwitscher bedeutet eine Bereicherung des Gartens, vor allem für jene, die alleine leben.

Gemüse- oder Blumenbeetes ein guter Partner. Und mit dem bezaubernden Gezwitscher bekunden sie ihre Geselligkeit – zumindest solange Nahrung verfügbar ist!

Viele Vögel können durch Vogelbäder oder Nahrungsvorräte angelockt werden. Verteilt man Futter auf einem erhöhten, flachen Brett (außer Reichweite von Katzen) oder hängt Futterringe an die Bäume, gibt man vielen Vögeln Anreiz, den Garten anzufliegen, insbesondere Vertretern der Meisenfamilie.

Der Vogelgesang ist je nach Gattung unterschiedlich und kann territorialen Anspruch sowie Flucht-, Warn- oder Kontaktrufe bedeuten. Dabei haben die Vögel bestimmte Eigenheiten entwickelt: Die Nachtigall versteckt sich gerne, während sich andere lieber exponieren oder im Flug singen.

Bienen im Garten

Das Anlocken von Bienen, ihr Summen an Blumen und Waben bedeutet für viele eine große Beruhigung, wenngleich es auch viele Menschen gibt, die Angst haben, gestochen zu werden. Doch dies geschieht meist nur dann, wenn eine Biene oder der Bienenstock bedroht ist. Gewöhnlich sind sie friedliebende Insekten, die nur ausschwärmen, um ihre Pollen einzusammeln. Auf der Suche nach Nektar fliegen sie von einem Gewächs zum anderen, wenngleich es hauptsächlich die Pflanzen mit blauen Blüten sind – in geringerem Ausmaß gelbe –, die sie aufsuchen. Dies liegt daran, daß Bienen, obwohl sie die meisten Farben unterscheiden können, nicht Rot von Grün trennen können, da ihnen beide grau erscheinen.

Blau blühende Pflanzen wie z. B. *Lobelia erinus, Anchusa azurea, Aster novi-belgii, Scabiosa caucasia* und *Tradescantia virginiana* ziehen sie besonders an.

Übrigens hat man herausgefunden, daß Arbeitsbienen, die nektarbeladen zum Stock zurückkehren, anderen Bienen mitteilen können, wo sich Pflanzen mit Pollen befinden.

Die Klangwelt der Bäume

Bäume, die ihr Laub jeden Herbst abwerfen, schaffen einen Garten voller raschelnder Laute und bestechen zudem mit ihrem farbenfrohen Herbstkleid, wobei Bäume mit großen Blättern, wie Roßkastanien oder Eschen, weniger Geräusch von sich geben als kleinblättrige Bäume, wie die Buche.

Zitterpappeln

Diese Bäume machen ihrem Namen alle Ehre, selbst während kleinster Brisen. Allein schon ihr silbriger Schimmer ist eine Freude.

Die silberlaubige Weißpappel *(Populus alba)* ist ein eindrucksvoller Baum von über 12 m Höhe mit flachgelappten, graugrünen Blättern. *Populus tremula* fällt durch seine langen, schlanken, abgeflachten Blattstiele auf, die die Blätter auch bei dem kleinsten Windzug in

Bewegung setzen. Die amerikanische Espe *(Populus tremuloides)* wird relativ hoch und hat fast kreisrunde, glänzendgrüne Blätter.

Ziergräser

Verschiedene winterharte Gräser rascheln mit ihren Stengeln und Blättern schon beim kleinsten Luftzug.

Das aus Ostasien stammende Silbergras *Miscanthus sacchariflorus* wird in einer Vegetationsperiode bis zu 3 m hoch und bildet einen guten Sichtschutz. Die vertrockneten Stengel und Blätter bleiben fast den ganzen Winter über. Die langen, schmalen, mittelgrünen Blätter wachsen aus schlanken Stengeln heraus.

Es gibt verschiedene kleinere Sorten, wie z. B. 'Aureus' mit goldgestreiften und 'Variegatus' mit weißgestreiften Blättern, die beide etwa 1,5 m hoch wachsen. *Miscanthus sinensis* 'Purpureus' wird ebenfalls 1,5 m hoch und hat aufrechte, violett überhauchte Stengel und schmale Blätter. Das Zebragras *Miscanthus sinensis* 'Zebrinus' mit überhängenden, gelbgestreiften Blättern wird etwas über 1 m hoch.

Bambus

Er gehört zur Grasfamilie und eignet sich sehr gut, Bereiche mit raschelnden Lauten zu schaffen. In gemäßigten Klimazonen ist er winterhart. Mit verschiedenen Bambussorten läßt sich entlang eines Kiesweges ein sehr schöner Pfad anlegen.

Phyllostachys nigra (früher als *Sinarundinaria nigra* bezeichnet) entwickelt schwarze Stiele, die über 5 m hoch werden und aus denen schmale, etwa 15 cm lange und 1 cm breite Blätter wachsen. Diese Bambusart ist winterhart und braucht viel Platz.

Pleioblastus variegatus (früher als *Arundinaria variegata* bezeichnet) wird etwas über 1 m hoch und formt ein Dickicht von Stielen mit schmalen, lanzettförmigen Blättern. Diese werden bis zu 20 cm lang, mittelgrün und weißgestreift. Als Wegeinfassung sehr geeignet.

Pseudosasa japonica (früher unter *Arundinaria japonica* bekannt) bildet ein Dickicht von bis zu 5 m hohen Stengeln mit dunklen, glänzenden, spitzen Blättern bis zu 30 cm Länge. Er gehört zu den härtesten Bambusarten.

Sasa veitchii bildet ein dichtes Blattwerk, erreicht eine Höhe bis ca. 1 m und hat tiefgrüne Blätter bis zu 25 cm Länge. Die Blattspitzen und -ränder verwelken im Winter leicht. Als Wegeinfassung sehr geeignet.

KLANGSPIELE

Die sanften, unregelmäßigen Töne von Windspielen schätzt man in vielen Ländern, vor allem im asiatischen Bereich. Im Wind bilden sie heitere Hintergrundklänge, die in ihrer harmonischen Wiederholung beruhigend wirken.

Sinarundinaria nitida (früher unter *Arundinaria nitida* bekannt) wird bis 3 m hoch und bildet eine Fülle violetter Stengel. Die Blätter sind schmal und lanzettförmig, ca. 10 cm lang und 1 cm breit. Eine der anmutigsten Bambussorten.

Thamnocalamus spathaceus (früher als *Arundinaria murielae* bekannt) bildet schlanke Bögen bis zu 2,5 m Höhe mit schmalen, langen, dunkelgrünen Blättern.

STIMULIERENDE WASSERKLÄNGE

Wasser ist von besonderer Qualität und bringt eine Vielfalt an heilsamen Geräuschen und Stimmungen in den Garten. Ruhiges, stehendes Wasser suggeriert eine passive und nachdenkliche Stimmung, während der regelmäßige Klang von spritzenden Tropfen aus einem Springbrunnen innerlich stärkend wirkt.

Links: **Gräser bringen beim leisesten Wind einen sanft raschelnden Laut in den Garten. Es gibt eine große Auswahl an Ziergräsern, darunter den *Miscanthus sinensis* 'Variegatus'.**

Zittern wie Espenlaub

Die innere Rinde der Zitterpappel (Populus tremuloides) *lieferte den Indianern nicht nur Nahrung, sondern diente auch als Heilmittel. Die Rinde wurde abgekocht und ergab ein anregendes und harntreibendes Mittel, das bei Nervosität, Blasenproblemen und Gonorrhöe angewendet wurde. Sie enthält Salizyl, Hauptbestandteil des weitverbreiteten Schmerzmittels Aspirin.*

Wer versucht, aus dem Gedächtnis einen Garten, den er einmal gesehen hat, zu rekonstruieren, wird erstaunt feststellen, daß er sich vor allem an das Wasser in jenem Garten erinnert.

Die heilenden Eigenschaften von Wasseranlagen waren nicht nur den alten Ägyptern, Griechen und Römern bekannt, sondern auch den Persern, die den eindringenden Arabern dieses Wissen weitergaben.

Mit der Ausbreitung des Islam geriet auch die Kunde von der beruhigenden Wirkung des Wassers in viele andere Länder, von Spanien bis Indien.

Heutzutage werden bei der Planung von Kurkliniken häufig Zierteiche und Brunnen miteinbezogen. Die Glasfassaden moderner Bauten lassen auch von innen eine Betrachtung dieser Gartenelemente zu. Auch ohne daß man den Fluß des Wassers hört – allein die Sicht vermittelt einen beruhigenden Eindruck.

Wassergärten gestalten

Ebenerdige Teiche setzen Bodenbewegung voraus: Den Oberboden kann man später verteilen, doch der Unterboden muß abtransportiert werden.

Der Umriß des Teiches kann formal und streng sein oder aber so natürlich wie möglich, wenn man einen Naturteich oder Sumpfgarten plant. Höhergelegene Teiche erfordern nur die Entfernung des Oberbodens. Dennoch sind starke Umfassungsmauern nötig, um eine feste Schale und flexible Auskleidung zu schaffen. Diese Art Teich ist besonders geeignet für Rollstuhlfahrer oder kleine Kinder.

Rechts: Dieser japanische Wassergarten zeigt ein schlichtes, einheitliches Bild: die Kombination eines Wasserfalls mit einem charakteristischen ostasiatischen Schmuckelement. Im Unterschied zu europäischen Wassergärten werden nur wenige Pflanzen ausgesucht, damit die Aufmerksamkeit nicht zu stark abgelenkt wird.

Wasserfälle und Kaskaden werden am besten aus harten Schalen oder speziellen Folien gebildet und sollten gegen Sonnenlicht resistent sein. Miniaturteiche in hölzernen Bottichen oder tiefen Steintrögen sind sehr schön, um an Freisitzen eine lebendige, funkelnde Komponente einzubringen.

Da das Wasser in kalten Wintern friert, müssen diese Behältnisse entleert und Fische und Pflanzen in einem Treibhaus oder in einem größeren Teich untergebracht werden.

Bachlauf

Um Wasser im Garten lebendiger zu gestalten oder zwei Teiche miteinander zu verbinden, ist ein Bach, vielleicht sogar in Verbindung mit einer Quelle oder einem Wasserfall, ein attraktives Element. Die Voraussetzungen dafür sind auf den meisten Grundstücken günstig. Ein geringer Höhenunterschied auf dem Gelände reicht aus, um für das notwendige Gefälle von mindestens einem Prozent (das heißt ein Zentimeter pro Meter) zu sorgen. Aber auch dort, wo das Grundstück ganz eben ist, braucht man nicht auf den Bach oder eine Quelle zu verzichten, wenn der Höhenunterschied aus Steinen künstlich geschaffen wird.

Der Reiz eines Bachlaufes liegt im Wechsel seiner Strömungsgeschwindigkeit, in seiner Breite, seiner Tiefe und nicht zu vergessen seiner typischen Bepflanzung. Gleich nach der Quelle kann das Gewässer durch ein enges Bachbett fließen, kann danach zu einem kleinen See gestaut werden, um sich über einen Wasserfall mit einem deutlichen Niveauunterschied in den Teich zu ergießen oder weiter als Bachlauf seinen Weg zu nehmen. Mal ist das Ufer mit Kies und größeren Steinen gestaltet, mal wachsen Sumpfgewächse bis ins Wasser.

Baumaterialien

Die meisten Wasseranlagen müssen künstlich geschaffen, ihr Boden gegen Wasserverlust abgedichtet werden. Als Dichtung kommen verschiedene Bauweisen in Frage. Am häufigsten wird PVC-Teichfolie verwendet und zwar aus gutem Grund. Es gibt zur Zeit kein Material, das sich besser verarbeiten ließe. PVC, die Abkürzung für Polyvinylchlorid, wird heutzutage aus Folgeprodukten der Verarbeitung von Erdöl und Kochsalz gewonnen. Diese spezielle Teichfolie ist elastisch, fischverträglich, beständig gegen saure Böden, Frost und Korrosion, reißfest, UV-stabil, verrottungsfrei, wurzelfest – und ganz wichtig – cadmiumfrei. Sie sollte eine Stärke von mindestens einem Millimeter haben. Am besten läßt man sich die Folie in der gewünschten Größe anfertigen. Für einen größeren Teich empfiehlt sich die Stärke von 1,5 Millimetern.

Daneben setzen sich die teureren Synthese-Kautschuk-Folien (EPDM-Folien) verstärkt durch und die Polyethylen-Folien (PE-Folien), die allerdings fester sind und sich weniger gut in enge Kurven einpassen.

Früher war es üblich, die Sohle eines Naturteiches mit Ton abzudichten, dem sogenannten Lettenschlag. Das ist auch heute möglich, indem man Teichbauelemente aus Ton verwendet.

Bei großen Teichen entscheidet man sich oftmals auch für eine stabile Betondichtung.

Pools und Teiche können durch Beschichtung ihres Bodens mit Polyesterharz und Glasseidenmatten abgedichtet werden. Diese Methode ist preisgünstig, aber aufwendig.

Viktorianisches Wasserspiel
Ohne fremde Kraft funktionierende Springbrunnen basierten auf den Plänen des griechischen Wissenschaftlers Hero von Alexandria, der im 1. Jahrhundert n. Chr. lebte. In England fand das sanfte Plätschern von Wasser erst im 19. Jahrhundert Eingang in die Salons.

Teiche schützen

Ein Naturteich ist der ideale Lebensraum für Frösche, Molche, Schmetterlinge, kleine Säugetiere, Vögel und Myriaden von Insekten. Obendrein bietet sich für die ganze Familie ein interessantes Schauspiel, und dabei werden noch Schädlinge wie Schnecken und Blattläuse niedergehalten. Die Bewohner von naturbelassenen Teichen – ob Fische, Amphibien, Insekten, Schnecken oder durchziehende Vögel und Landtiere – sind jedoch hoch empfindlich gegen Schädlingsbekämpfungsmittel wie Insektizide und Herbizide.

Daher sollte man diese nie in der Nähe von Teichen verwenden, damit sie nicht dorthin abdriften oder durch den Boden versickern. Sollte ein Ölfilm oder andere Gifte auf die Wasseroberfläche gelangen, legt man vorsichtig ein sauberes Blatt Zeitungspapier auf und zieht es zu einer Seite, so daß der Schadstoff absorbiert und entfernt werden kann. Ferner muß man dafür Sorge tragen, daß Igel und andere Tiere nicht in den Teich fallen und ertrinken. Die glatte Außenkante macht das Herausklettern oft schwer; Hilfe bietet ein Kletternetz aus Kükendraht.

EIN AMERIKANISCHER SPRINGBRUNNEN
Kleine Wasserfontänen für den Wohnbereich kamen um die Mitte des 19. Jahrhunderts stark in Mode. Diese Abbildung eines gußeisernen Pflanzenständers erschien zuerst in „The American Gardeners' Monthly" und wurde 1860 nochmals in „The Cottage Gardener" reproduziert.

Oben: Elemente für den Wassergarten müssen nicht groß sein, um zu wirken. Hier bringt eine kleine Pumpe die Miniaturfontäne in einem Terrakottakübel zum Überquellen.

SPRINGBRUNNEN

Es gibt kaum einen Gärtner, der nicht fasziniert wäre von Wasserspielen aller Art. Bereits im alten Athen wurden Brunnenanlagen in Tempelhainen und Parks installiert und während der hellenistischen Ära gab es sogar schon hydraulische Vorrichtungen, die ursprünglich aus Babylonien kamen. Die Römer kannten Brunnen sowohl für Innenräume als auch für Außenbereiche; Plinius der Jüngere schrieb im 1. Jahrhundert n.Chr. von einem in einem Innenhof gelegenen Springbrunnen, der die Festgäste während des Mahls unterhielt, während andere Springbrunnen im Freien zwischen Weinreben plätscherten. In den Gärten der Renaissance wurde die klassische Konzeption des antiken Landsitzes mit seinen Wasserspielen wieder ins Leben gerufen. Viele Innenhöfe in Italien und Frankreich waren mit mehrstöckigen Springbrunnen ausgestattet: Überfließendes Wasser drängte von einer Schale zur nächstgrößeren. Ihren Höhepunkt erlangte diese Wasseranlage vermutlich in Versailles. Im Gegensatz zu den italienischen Renaissancegärten, die ihr Wasser meist von höher gelegenen Flüssen bezogen, mußte es in Versailles von der Seine heraufgepumpt werden. Islamische Gärtner bevorzugten dagegen stehende und ruhige Wasserflächen. Aufwendige Wasserspiele waren ihnen zu artifiziell. Als der Islam sich in Spanien verbreitete, wurden Brunnen dann zu einem wichtigen Element in der Gartenarchitektur. Die Chinesen verzichteten selbst auf Brunnen, da sie Wasser in seinem naturbelassenen Zustand bevorzugten. Dennoch gab es einen Garten bei Peking, den die Jesuiten im 18. Jahrhundert für Ch'ien Lung anlegten, der über Brunnen und Wasserspiele verfügte. Ähnlich wie die Chinesen schätzten auch die Japaner das kühle Naß in seiner natürlichen Form, obgleich sie gelegentlich Kaskaden in ihren Gärten anlegten.

Moderne Wasserspiele

Ältere Brunnenanlagen benötigten meist ein natürliches oder künstliches Wasserreservoir, das hoch genug über dem Austritt lag, um den notwendigen Druck zu erzeugen und zudem einen vorteilhaften Anblick zu bieten. Heutzutage gibt es eine große Auswahl an Pumpen für Brunnen und Wasserfälle, die sich in zwei Hauptgruppen unterteilen lassen:

Tauchpumpen sind für das völlige Eintauchen in Wasser konstruiert und arbeiten fast geräuschlos. Am besten plaziert man sie auf einem erhobenen Sockel auf dem Teichgrund, damit sie nicht mit Sand bedeckt werden. Als Energie dient Hausstrom mit Niedervolttransformatoren. Die Vorrichtung muß eine spezielle Sicherung haben, die sofort herausspringt, falls ein Fehler in den Kabeln oder der Pumpe auftritt. Die Pumpengröße richtet sich nach der Anzahl und Größe der Springbrunnen im Teich.

Für ein großes Wasservolumen und die gleichzeitige Versorgung mehrerer Brunnen sowie eines Wasserfalls, sind *Oberflächenpumpen* besser geeignet. Diese Pumpenanlagen werden in einer kühlen, wasserdichten, zugänglichen Kammer untergebracht.

Vor dem Kauf eines Pumpentyps sollte man sich fachmännisch beraten lassen. Als Orientierung gilt folgendes: Für einen Wasserstrahl von gut 1 m Höhe mag eine Niedervolttauchpumpe ausreichen; soll die Höhe 2 m und mehr betragen, sollte man sich für eine Tauchpumpe mit Normalstrom entscheiden. Für noch größere Höhen benötigt man eine Oberflächenpumpe.

An der Pumpengröße und -leistung sollte man keinesfalls sparen, insbesondere, wenn zu einem späteren Zeitpunkt weitere Anlagen mit Wasser versorgt werden sollen. Ferner muß man berücksichtigen, daß ein eventuell zu enges Rohr den Wasserdurchfluß von Pumpe zum Teich erheblich bremsen kann. Für die Installation elektrischer Anlagen ist allein der Fachmann zuständig.

Verschiedene Typen von Springbrunnen

Vor der Auswahl sollte man ein paar praktische Überlegungen anstellen: Die Wasserhöhe sollte nicht mehr als den Radius des Teiches betragen. Zudem sollte sich das Sprühbild des Wassers in den Teich einfügen und ihn nicht beherrschen. Der Strahl darf nicht auf Seerosen fallen oder Schwimmpflanzen auf der Oberfläche hin und her schieben.

In Gegenden mit viel Wind sind Anlagen geeigneter, die große Wassertropfen erzeugen, da diese nicht so weit im Wind abdriften. Ferner setzen sich Mundstücke mit feinen Löchern leichter zu als größere.

Um einen steten Zufluß zum Brunnen zu gewährleisten, müssen die Filter saubergehalten werden.

UNKONVENTIONELLE FONTÄNEN

Ist der Platz sehr beengt, können kleine Elemente an Teichen mitunter gut zur Geltung kommen, z. B. Fontänen, bei denen Wasser aus dem Maul von Tieren strömt.

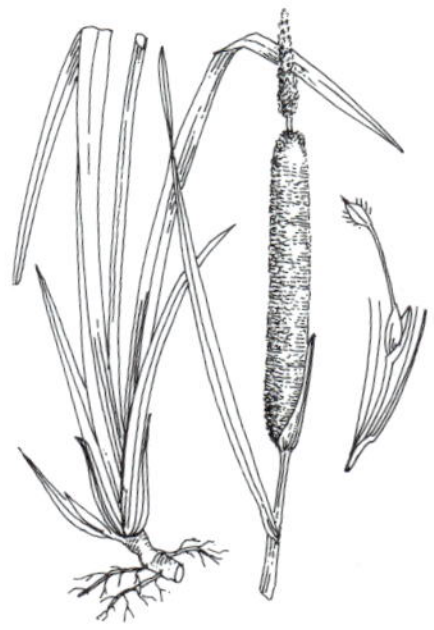

DER ROHRKOLBEN DES MEDIZINMANNS

Rohrkolben (Typha latifolia *und die schmalblättrige Form* T. angustifolia) *kommen in vielen Gegenden der Welt vor; sie gedeihen in feuchtem Boden und fanden Jahrhunderte hindurch vielseitige Anwendung. Aus den Wurzeln wurde Mehl gewonnen, und die im Frühling geschälten jungen Triebe ließen sich roh oder gekocht essen. Die Blätter wurden zu Matten, Körben und Stuhlgeflechten verwoben. Die nordamerikanischen Indianer verwendeten das weiche watteähnliche Material der Samenstände als Wundpflaster.*

DIE BESCHAFFENHEIT VON WEGEN

Das Geräusch beim Spazierengehen über eingefaßte Wege kann Vertrautheit und Wohlbehagen vermitteln. Glatte Wegplatten sorgen für eine ebene und sichere Oberfläche, die man sorglos betreten kann. Eine Oberfläche mit Natursteinen oder Kies hingegen erfordert mehr Aufmerksamkeit beim Darüberschreiten.

Kleine Natursteine in verschiedensten Größen, Formen und Farben sind populär geworden und ergeben eine Menge unterschiedlicher Geräusche beim Darübergehen – vielleicht fühlt man sich an frühere Spaziergänge erinnert oder an steinige Urlaubsstrände.

Tritt jemand auf Kieselsteine, ertönt ein Knirschen, das die Gegenwart von Menschen verrät; Kies kann deshalb ein willkommener Warnhinweis auf unliebsame Eindringlinge sein.

HEILKRÄUTER

Die Verwendung von Pflanzen, um Krankheiten zu heilen, ist seit Jahrtausenden in allen Kulturen der Erde verbreitet. Doch ihre Auswahl und Anwendung war den Göttern vorbehalten. So sah man in Giftpflanzen den Zufluchtsort böser Geister und in den Heilpflanzen die Wohnstätte des Guten.

Um das Jahr 1500 v.Chr., als die alten Ägypter den Höhepunkt ihrer Zivilisation erreichten, sollen etwa 700 Arzneien aus Pflanzen gewonnen worden sein, wie z. B. Minze, Kümmel, Dill, Anis, Fenchel und Sesam. Die praktische Anwendung der pflanzlichen Heilmittel wurde dann im Verlauf von den Ägyptern verfeinert: Als Trägersubstanzen für flüssige Arzneien galten Wasser, Honig, Wein und Bier. Selbst Pillen und Pastillen waren schon entwickelt. Auch Zäpfchen waren weitverbreitet, und für die äußerliche Anwendung nutzte man Umschläge und Salben.

Die Ägypter wußten auch um den Wert von Inhalationen: Der Dampf entstand durch das Übergießen von heißen Steinen mit Flüssigkeit. Die Kenntnis der Pflanzen und ihre Anwendung ging in den nächsten Jahrhunderten an gelehrte griechische Schriftsteller und Naturkundler über. Einer der frühesten Gelehrten war Theophrastos (ca. 370–287 v.Chr.), der auf der Insel Lesbos lebte, und später die Leitung der Schule von Athen übernahm. Theophrastos war ein aufmerksamer Beobachter alles Lebendigen in der Natur. So verfaßte er eine systematische Darstellung der Pflanzen: doch vermutlich gehen einige seiner Schriften auf Aristoteles zurück.

In den Jahren 23 bis 79 n.Chr. schrieb der Römer Plinius der Ältere die „Naturalis Historia", 37 Bücher zur Naturgeschichte, was viele Jahrhunderte hindurch als Standardwerk galt.

Dioskurides, ein Arzt aus Anazarba, gilt als berühmtester Pharmakologe des Altertums. Er schrieb im 1. Jahrhundert n.Chr. die „Materia Medica", eine wichtige Quelle früher Heilpflanzenanwendung. Auch der letzte große Arzt der Antike, Galen aus Pergamon (ca. 130–200 n.Chr.), verfaßte bedeutende medizinische Schriften.

ABERGLAUBE UND MEDIZIN

Als das alte Ägyptische Reich seinem Ende zuging, übernahm die Priesterkaste die Herrschaft, und Magie trat an die Stelle der vormals fachkundigen Anwendung der Pflanzenmedizin. Krankheit wurde nun als Folge böser Gedanken und als sichtbares Zeichen für menschliche Vergehen betrachtet. Es kam zu einer schwarzen Periode in der medizinischen Heilkunde, die sich bis zum Ende des 17. Jahrhunderts hinzog. Medizin war im Grunde eine Mischung aus Beschwörung, Hexerei und Religion geworden. Im 18. Jahrhundert bezeichnete der französische Philosoph und Historiker Voltaire diese Zeit als „das Einflößen von Mitteln, von denen man wenig wußte, in Körper, von denen man noch weniger wußte".

Heilkräuter im Mittelalter

Viele Jahrhunderte lang – von etwa 500 n.Chr. bis zum Beginn der Re-

Gegenüberliegende Seite: Manuskript eines arabischen Heilbuches aus dem 12. Jahrhundert. Ein Arzt verabreicht ein Mttel bei Schlangenbiß.

Oben Mitte: Der allseits bekannte ballonähnliche Samenstand des Löwenzahnes *(Taraxacum officinale)*. Er kommt in weiten Teilen der nördlichen Halbkugel auf Weiden, Wiesen und Ödland vor. Viele Bestandteile werden in der Medizin verwendet: Ein Aufguß der frischen Wurzeln hilft bei Gallensteinen, Gelbsucht und anderen Leberproblemen, während die Blätter bei chronischem Rheumatismus, Gicht und steifen Gelenken helfen.

KRÄUTERGÄRTEN IN KLÖSTERN

Illustration eines Kräutergartens in einem venezianischen Buch aus dem Jahre 1490. Im Mittelalter galten die Klöster als Bewahrer der Heilkräuter. Viele Pflanzenabbildungen stammen aus jener Zeit.

Oben: Die Abbildung zeigt ein Detail aus der „Historia Naturalis", die um 1460 in Siena veröffentlicht wurde. Es zeigt zwei Gärtner unter einer Laube, in der Mitte rankt eine Kletterpflanze empor. Die rechte Figur hält einen Spaten mit hölzernem Spatenblatt, das mit Metallkanten eingefaßt und somit stabiler ist.

naissance im 15. Jahrhundert – war Europa in die sogenannte dunkle Zeit gefallen, in der Wissenschaft und individuelles Denken oft mit dem Teufel in Verbindung gebracht wurden. Die Kenntnis von Heilmitteln wurde weithin als Zeichen des Heidentums und des Okkulten gesehen. Dennoch wurde das Wissen um Heilkräuter von den Mönchen in der Abgeschiedenheit ihrer Klöster am Leben erhalten, wo verschiedenste Kräuter für Anbau und Anwendung gesammelt wurden. Im Verlauf wurden Heilgärten zum wichtigen Bestandteil von Klosteranlagen. Später wurde diese Tradition von Spitälern und sogar Fürstenhöfen aufgegriffen.

Die Voraussetzung für die Herstellung von Arzneien war die Destillation von Kräutern. Die ersten Versuche wurden im Destillierkolben vorgenommen, einem Gefäß mit schnabelförmigem Überlauf.

Pflanzenkenner im Elisabethanischen Zeitalter – und später

Viele berühmte englische Pflanzenkenner lebten während der Regierungszeit Elisabeths I., insbesondere während der zweiten Hälfte des 16. Jahrhunderts. Einige von ihnen übersetzten griechische und lateinische Kräuterbücher in das Englische, die aus heutiger Sicht oft kuriose und vergnügliche Züge haben.

John Gerard wurde 1545 in Cheshire, England, geboren und ging später nach London. Er wurde 1569 Barbier und Bader und etwa acht Jahre später deren Zunftmeister. Als begeisterter Botaniker veröffentlichte er 1597 sein bekanntestes Werk: „Herball, or general histoire of plantes". Es wurde vom Apotheker Thomas Johnson 1633 überarbeitet, 21 Jahre nach Gerards Tod.

DIE SIGNATURENLEHRE

Im frühen 16. Jahrhundert lebte der Arzt und Alchimist Paracelsus (1493–1541), dessen Lehre auf naturphilosophischen und alchimistischen Vorstellungen aufbaute. Nach der von ihm entwickelten Signaturenlehre wird der medizinische Gehalt jedes natürlichen Heilmittels dem Kundigen durch ein bestimmtes Zeichen offenbart, z. B. charakterisiert die äußere Form oder Farbe einer Pflanze ihre medizinische Verwendung.

Gemäß dieser Philosophie waren die gefleckten Blätter des Lungenkrauts *Pulmonaria officinalis* (links) ein Heilmittel bei Lungenbeschwerden; Pflanzen mit gelben Blüten oder Wurzeln mit gelbem Saft waren bei Gelbsucht angezeigt; und rotgefärbte Wurzeln galten bei Funktionsstörungen im Zusammenhang mit dem Blutkreislauf als geeignetes Mittel.

John Parkinson (1567–1650) war ein Zeitgenosse von Gerard. Als Gärtner, Pflanzenkundler und Apotheker verfaßte er verschiedene bedeutende Fachbücher: „Paradisi in Sole. Paradisus Terrestris“ von 1629, das hauptsächlich Zierpflanzen behandelt, sowie 1640 ein Kräuterbuch „Theatrum Botanicum“ mit Beschreibungen von ungefähr 3800 Pflanzen.

Der heute weltbekannte Naturkundler Nicholas Culpeper veröffentlichte die erste Ausgabe seines berühmten Buchs „The English Physician“ im Jahre 1652. Er kam 1616 zur Welt, studierte in Cambridge und ließ sich im Alter von 24 Jahren als Astrologe und Arzt in London nieder.

Culpeper vertrat die Lehre, daß die Himmelskörper – Sterne, Sonne, Mond und Planeten – einen großen Einfluß auf Pflanzen haben. Seine Methode knüpft an die astrologische Diagnose an, nach der zunächst der Planet betrachtet wird, der dem kranken Körperteil zugeordnet ist; danach wurden zur Heilung jene Pflanzen ausgewählt, die zu dem Planeten in Opposition standen. Culpeper starb 1654 im frühen Alter von 38 Jahren an Schwindsucht.

Moderne Naturheilkundler

Eines der umfassendsten Kräuterbücher neuerer Zeit ist „A Modern Herbal“, das 1931 von Mrs. M. Grieve veröffentlicht wurde. Herausgeberin war Mrs. C. F. Leyel, die viele Jahre Direktorin der „Society of Herbalists“ war. Vor der Veröffentlichung wurde Mrs. Leyel gebeten, auch nordamerikanische Kräu-

DÄMONISCHE ALRAUNE
Mandragora officinarum *(früher* Atropa mandragora) *ist sowohl in der Folklore als auch in der Medizin verankert. Angeblich wuchs die Pflanze unter dem Galgen von Mördern und stieß todbringende Schreie aus, sobald man sie ausgrub. Manchmal wurden Hunde an die Pflanze gebunden, die sie herausziehen sollten, aber dabei selbst den Tod riskierten.*

Links: Pfeffer *(Piper nigrum)* ist ein rebenähnliches Gehölz, das in den feuchten Wäldern des asiatischen Tieflandes zu Hause ist. Diese Illustration im „Livre des Merveilles“ aus dem 15. Jahrhundert zeigt die Pfefferernte im Königreich Quilon, das im äußersten Südwesten Indiens lag. Der Pfeffer hatte im Mittelalter den Ruf des „Schwarzen Goldes“: Heilkundige empfehlen ihn noch heute bei der Scherpilzflechte.

ter mitaufzunehmen, und das Ergebnis war ein Band von etwa 900 Seiten mit Informationen über mehr als 1000 britische und amerikanische Heilpflanzen. Das Buch hat bis zum heutigen Tage diverse Auflagen erlebt.

HEILKRÄUTER

Über die ganze Welt verteilt wachsen Pflanzen mit medizinischen Eigenschaften, die wesentlich zu Gesundheit und Wohlbefinden der Bevölkerung beigetragen haben. Schon die Ureinwohner verwendeten sie, und die Überlieferung eines jeden Landes ist reich an phantastischen Geschichten.

So kannten die Eingeborenen Nordamerikas und Mexikos die Bedeutung der strauchigen *Ephedra nevadenis,* die als Tee eingenommen Erkältungen, Fieber und Kopfweh heilte. In den kalten schneereichen nördlichen Regionen lieferte das Skorbut-Gras das notwendige Vitamin C.

Die Wurzeln der Silberkerze *(Cimicifuga racemosa)* dienten als Gegengift, insbesondere beim Biß einer Klapperschlange. Der Hundszahn *(Erythronium americanum)* bildete einen heilenden Umschlag bei Tumoren, Schwellungen und Geschwüren.

Keltische Stämme auf den Britischen Inseln verwendeten Färberwaid zur Körperbemalung, um ihre Feinde in Schrecken zu versetzen. Darüber hinaus wurden damit Geschwüre, Entzündungen und Blutungen behandelt. Die Maoris auf Neuseeland nahmen die Rinde des Miro *(Podocarpus ferrugineus),* um Wunden und Geschwüre zu heilen, während in Indien der Stechapfel *(Datura alba)* noch heute bei Asthma, Hustenanfällen, Keuchhusten und Blasenkrämpfen Anwendung findet.

Auch folgende Kräuter werden in der Heilmedizin verwendet:

Eisenhut *(Aconitum napellus),* eine winterharte Staude aus Europa und Asien, hat eine Vielzahl regionaler Be-

DESTILLATIONSÖFEN

In früherer Zeit wurde die Kräuterdestillation in speziellen Brennkesseln durchgeführt. Ende des 16. Jahrhunderts gab es davon viele verschiedene Modelle, wie die Beispiele unten zeigen:

GEFÄHRLICHE GIFTE

In früheren Zeiten ließ man Menschen, die der Zauberei oder anderer Verbrechen bezichtigt waren, Gift schlucken, um ihre Schuld oder Unschuld zu beweisen. Starb die Person, sah man die Schuld als erwiesen an, wurde das Gift jedoch erbrochen, hielt man sie für unschuldig. Man verwendete dafür Giftstoffe verschiedener Bäume:

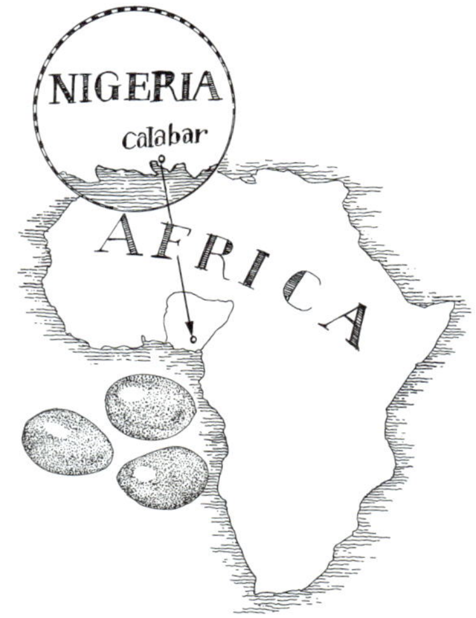

Antiaris toxicaria, der javanische Upasbaum, soll Dämpfe von sich geben, die alles tierische Leben abtöten. Der Saft enthält ein Gift, das einst für Pfeilspitzen verwendet wurde.

Cerbera tanghin ist ein kleiner, aus Madagaskar stammender Baum mit giftigem, milchigem Saft.

Erytrophleum suaveolens, der Rotwasserbaum aus Sierra Leone, enthält eine giftige Rinde, die früher bei Folterungen zur Anwendung kam und auch für Pfeilgift benutzt wurde.

Excaecaria agallocha ist ein kleiner Baum mit milchigem, bitterem Saft, der die Haut bei Folterungen zu Blasen aufquillen läßt: auch zur Behandlung von Lepra verwendet.

Hippomane mancinella, ein giftiger Sumpfbaum, der im tropischen Südamerika und auf den Westindischen Inseln vorkommt, beinhaltet einen giftigen, bitteren, milchigen Saft; sogar das Gras unter diesem Baum stirbt ab.

Physostigma venenosum, die Kalabar-Bohne, ist eine Schlingpflanze mit großen, dunkelbraunen Samen.

zeichnungen. Die Wurzeln und Blätter werden zur Behandlung von Scharlach, Magengeschwüren, Nervenbeschwerden, Katarrh, Mandelentzündung und Krupp mit großem Erfolg eingesetzt.

Engelwurz *(Angelica archangelica)* kommt in vielen europäischen Ländern vor und ist eine kräftige winterharte, kurzlebige Staude, deren Wurzeln, Stengel und Samen bei Verdauungsstörungen, Blähungen und rheumatischen Beschwerden angewendet werden. Früher waren die Wurzeln auch gegen Typhus in Gebrauch.

Anis *(Pimpinella anisum)* kommt in Südeuropa, Ägypten sowie dem Vorderen Orient vor und wird als Anissamen eingenommen. Die grauen bis braungrauen Samen werden als Hustenmedizin und -pastillen angeboten. Die Samen werden auch bei Süßwaren und der Fleischverarbeitung verwendet.

Tollkirsche *(Atropa belladonna)* kommt in weiten Gebieten Europas, dem westlichen Asien bis Iran und Nordafrika vor. Die ausdauernde Pflanze enthält ein Betäubungsmittel, das bei nächtlichem Schwitzen, Husten, Keuchhusten, Gicht und rheumatischen Entzündungen angewendet wird. Belladonna wird insbesondere bei Augenleiden eingesetzt. Alle Teile der Pflanze sind hochgiftig und sollten nicht mit der Hand berührt werden, falls diese durch Abschürfungen verletzt ist.

Wiesenknöterich *(Polygonum bistorta)*, eine ausdauernde Staude, wächst in Europa und zentralasiatischen Gebieten. Seine Wurzeln finden bei der Behandlung von Blutungen und Schleimabsonderungen Verwendung.

MEDIZINISCHE BEHANDLUNG VON TIEREN

Kräuter nahmen seit altersher auch eine wichtige Rolle bei der Gesunderhaltung von Tieren ein, und viele sind noch heute in der Homöopathie für Nutz- und Haustiere in Gebrauch.

In der Homöopathie wird eine sehr kleine Dosis einer medizinischen Substanz – möglicherweise ein Gift – eingenommen, welches in einer größeren Dosis Symptome hervorbringen würde, die die zu behandelnde Krankheit aufweist. Die jeweilige Dosis wird sorgfältig präpariert. Die Spannweite der in der Homöopathie verwendeten Pflanzen ist außerordentlich groß und reicht von der Aloe bis zur Tollkirsche. Hier eine Auswahl:

Arnika *(Arnica montana)* wird gegen traumatische Beschwerden wie Schock nach Straßenunfällen, Schlägen, Stürzen, Prellungen, Bißwunden, operativen Eingriffen und Hirnblutungen eingesetzt.

Tollkirsche *(Atropa belladonna)* erleichtert Hitzeprobleme, sobald die Sonne niedrig steht.

Strychnos ignatii hilft bei der Behandlung eines Tieres, das sich nach seinem Besitzer sehnt. Vorsicht, da es sehr giftig ist!

Stechapfel *(Datura stramonium)* hilft bei Katzen, die die Angewohnheit haben, im Hause zu nässen.

Beinwell *(Symphytum officinale)* hilft bei Knochenbrüchen.

Brennessel *(Urtica urens)* reguliert die Muttermilch.

Alle Heilmittel in der Tiermedizin müssen von einem qualifizierten Tierarzt verordnet werden.

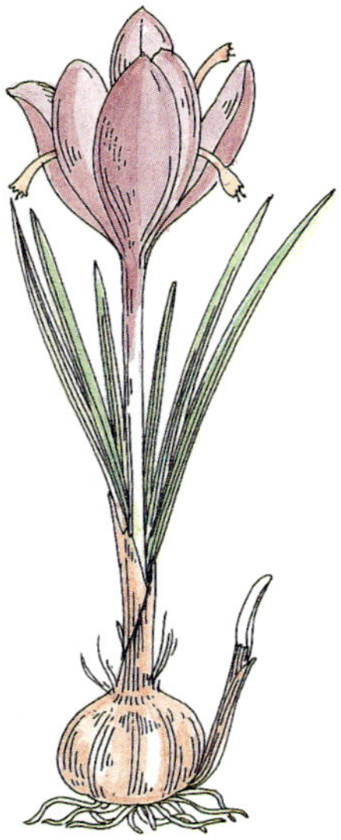

LACHEN IST GEFÄHRLICH

Der Safrankrokus (Crocus sativus) *hat eine lange Tradition und war schon bei den Arabern, Mongolen und Griechen verbreitet. Die Römer verwendeten ihn als Medizin, Würzmittel, Desinfektionsmittel und Färbemittel. Er fördert die Verdauung, stärkt den Magen, reinigt die Lungen und lindert den Husten. Eine Überdosis soll angeblich zu unkontrolliertem Lachen führen.*

Oben: Färberwaid *(Isatis tinctoria)* wurde früher wegen des in den Blättern enthaltenen Farbstoffes angebaut. Zu einer Paste verarbeitet, wirkt er auch bei Geschwüren und Entzündungen.

EIN PERSISCHER PFLANZENKUNDIGER

Das alte Persische Reich brachte einige der berühmtesten Philosophen und kundigsten Pflanzenspezialisten hervor. Hier ein Stich aus dem 15. Jahrhundert.

Die kanadische Blutwurz *(Sanguinaria canadensis)* ist eine ausdauernde Staude, deren Wurzelrhizome zur Herstellung von tonisierenden, anregenden und schleimlösenden Heilmitteln verwendet wurden. Die nordamerikanischen Ureinwohner gewannen daraus Farben für Körperbemalung und Kleidung.

Die Klette *(Arctium lappa)* ist eine tiefwurzelnde, zweijährige Pflanze aus Europa und Kleinasien. Sie gilt als hervorragendes Heilmittel zur Reinigung des Blutes und wurde auch bei der Behandlung von Ekzemen eingesetzt.

Die Prachtscharte *(Liatris spicata)* ist eine winterharte Staude aus Nord-

Rechts: Die Ringelblume *(Calendula officinalis)* ist eine der wirkungsvollsten Pflanzen zur Wundheilung. Die weichen Enden der Triebe und Blüten werden in Alkohol drei Wochen lang ausgelaugt und dann durchgeseiht. Einige Tropfen dieser Tinktur, die kaltem abgekochtem Wasser zugesetzt werden, ergeben ein Antiseptikum.

PFEILGIFTE

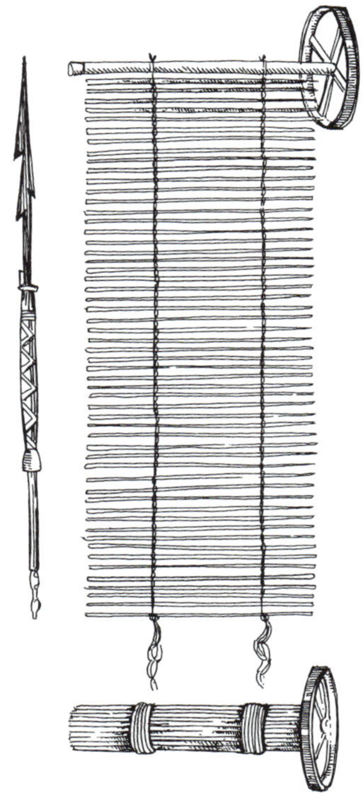

Das Eintauchen der Pfeilspitzen in Gift wird seit altersher praktiziert, um Menschen und Tieren einen schnellen Tod zu bereiten.

Acokanthera spectabilis (Afrikanisches Pfeilgift) ist ein großer Strauch. Der milchige Saft wird aus seinen Wurzeln und Trieben gewonnen.

Strophanthus hispidus ist ein kletterndes Gehölz aus dem tropischen Afrika, das in den ausgereiften Samen Gift enthält.

Strychnos tieute ist ein Baum der Insel Java, der in seinen Wurzeln ein starkes Gift birgt.

Strychnos toxifera ist ein südamerikanischer giftiger Baum. Aus der Rinde gewinnt man das Curare-Pfeilgift.

Tapernaemontana malaccensis ist ein großer Strauch aus Malaysia mit milchigem Saft, in welchen die Pfeilspitzen eingetaucht werden.

amerika mit hellen Blütenköpfen. Sie hat anregende, harntreibende Wirkung und wird zur Behandlung verschiedener Probleme wie Heiserkeit und Gonorrhöe eingesetzt. Die verwandte *Liatris squarrosa* entgiftet bei Schlangenbissen.

Kümmel *(Carum carvi),* eine aus Europa stammende zweijährige Pflanze, verfügt über hellbraune Samen: geeignet zur Verwendung bei Blähungen, zum Harntreiben, zu Umschlägen bei Prellungen und um Erkältungen zu mildern; in der Küche beliebter Zusatz für Braten- und Kohlgerichte.

Die Römische Kamille *(Chamaemelum nobile,* früher *Anthemis nobilis)* ist eine Staude mit angenehm duftenden Blättern, deren Blüten als Tee bei nervösen und hysterischen Anfällen verschrieben werden. Auch für Umschläge zur Schmerzlinderung geeignet. Als Lotion findet sie bei der Behandlung von Ohrenweh, Neuralgie und Zahnweh Verwendung.

Schaumblüte *(Tiarella cordifolia),* eine nordamerikanische, bodendeckende Staude, wirkt tonisierend und harntreibend. Sie dient auch der Verdauungsförderung und behebt einen Säureüberschuß im Magen.

Koriander *(Coriandrum sativum),* eine winterannuelle Pflanze aus Asien, hat Samen, die bei Blähungen und Koliken stimulierend wirken. In der Küche würzt man Curry- und Eintopfgerichte damit; die als Cilatro bezeichneten Blätter geben Suppen zusätzlichen Geschmack.

Gemeiner Schneeball *(Viburnum opulus),* ein Strauch, der vor allem in Europa und dem nordwestlichen Asien beheimatet ist, hat auch eine amerikanische Variante. Ein Aufguß oder Auszug der Rinde wurde bei verschiedenartigen Krämpfen und Spasmen eingesetzt.

Fingerhut *(Digitalis purpurea),* eine winterharte, zweijährige Pflanze aus Westeuropa, besitzt in den Blättern Substanzen, die bei Herzbeschwerden wie auch bei Harnstau Anwendung finden, jedoch mit Vorsicht eingenommen werden müssen.

Dill *(Anethum graveolens,* früher *Peucedanum graveolens)* ist eine einjährige Pflanze, deren Samen bei Schwellungen, Schmerzen wie auch bei Blähungen und

KONFEKT-KÄSTCHEN

Im 15. und 16. Jahrhundert dienten kleine Kästchen zur Aufbewahrung von Arzneien. Heilpflanzen wie Mandel, Anis, Kümmel, Zimt, Klee, Koriander, Fenchel, Ingwer, Muskat und Pfeffer wurden mit Honig und Safran zu zuckrigen Pastillen vermengt, dem sogenannten Konfekt.

Links: Seit altersher wußten die Heilpraktiker um die Wirkung des Fingerhutes *(Digitalis purpurea)* als Herzmittel, bevor seine positiven Eigenschaften aufgrund wissenschaftlicher Analysen bestätigt werden konnten. Die aufrechten Triebe mit den fingerhutähnlichen Blüten erscheinen im frühen und mittleren Sommer.

DER HEILGARTEN VON CHELSEA

Dieser weltbekannte Garten wurde im Jahre 1673 von der Gesellschaft der Apotheker gegründet, um Heilpflanzen zu kultivieren und zu studieren. Die Illustration zeigt den Zustand des Gartens im Jahre 1751.

Verdauungsstörungen zum Einsatz kommen. In der Küche gibt man die Samen dem Essig zu, und seine frischen Blätter werden gerne zur Garnierung von Fischgerichten, Kartoffeln und Erbsen hergenommen, ebenso wie als Salatgewürz für grünen Salat und Gurken.

Gelbkraut, auch Färberginster *(Genista tinctoria),* ist ein schlanker, laubabwerfender Strauch aus Europa beziehungsweise dem nordwestlichen Asien und wird in der Medizin bei Ödemen, Gicht und Rheumatismus eingesetzt.

Sonnenhut *(Echinacea angustifolia)* ist eine nordamerikanische, winterharte Staude mit Wurzeln, die in getrocknetem Zustand zu einer Medizin gegen Infektionen verarbeitet werden: Die Spannweite reicht von Blutunreinheiten und -vergiftungen über Furunkel bis Syphilis; sie soll auch sexuell anregend sein. Ähnliche medizinische Wirkungen sollen sich in *E. purpurea* und *E. pallida* finden.

Holunder *(Sambucus nigra)* stammt aus Europa. Sowohl Rinde, Blüten und Beeren werden medizinisch verwendet. Ein Tee aus Blüten oder Rinde fand bei Epilepsie, heißer Holundersaft bei Erkältung Anwendung.

Fenchel *(Foeniculum vulgare),* eine winterharte, ausdauernde Pflanze, hat Samen, die bei Lethargie, Schwindelgefühl, Kopfweh, Lähmungen, Ischias und Krämpfen helfen. Die Blätter verwendet man roh in Salaten oder gedünstet als Gemüse.

Schwarzes Bilsenkraut *(Hyoscyamus niger)* kommt in Europa als ein- und zweijährige Pflanze vor. Die wolligen dicken Blätter haben medizinische Eigenschaften: Sie kühlen Entzündungen des Körpers und lindern, in Wein gekocht, Gliederschmerzen und Gicht. Es handelt sich um eine sehr giftige Pflanze, die daher nur nach ärztlicher Anweisung und niemals innerlich eingenommen werden darf.

Süßholz *(Glycyrrhiza glabra)* ist eine tiefwurzelnde, ausdauernde Pflanze aus Europa und Asien mit graubraunen Wurzeln, die Süßholzsaft oder Lakritze ergeben, welche bei Husten, Brust- und Halsbeschwerden eingesetzt werden. Es war schon im 4. Jahrhundert v.Chr. in der Hustenbehandlung bekannt.

Lobelie *(Lobelia inflata)* kommt aus Nordamerika und gilt als anregendes und schleimlösendes Mittel bei Keuchhusten, Asthma und Kehlkopfdiphterie. Lobelienöl wird auch bei der Tetanusbehandlung verwendet.

Pfingstrose *(Paeonia officinalis),* eine von Frankreich bis Albanien vorkommende Staude, ist bei uns als Bauernrose bekannt. Sie findet Verwendung bei der Behandlung verschiedener nervöser Krämpfe, auch bei Epilepsie.

Poleiminze *(Mentha pulegium)* ist eine europäische Staude der Minzen-Familie. In der Verbindung mit Honig und Salz soll sie die Lungen von Schleim lösen und die Eingeweide reinigen. Zerkleinert und vermischt mit Essig mildert sie die Flecken von Blutergüssen in Gesicht und Augen und hilft bei Geschwüren. Weitere Verwendungen findet sie in der Behandlung von Ödemen, Gelbsucht und Keuchhusten.

Pfefferminze *(Mentha piperita),* eine Staude, wird zum Blutstillen, zur Kräftigung des Magens und bei der Behandlung von Übelkeit, erhöhter Darmtätigkeit sowie Würgegefühlen eingesetzt.

Mohn *(Papaver somniferum),* eine winterharte Pflanze aus dem westlichen Asien, ist seit Tausenden von Jahren wegen seiner medizinischen Eigenschaften bekannt. Aus dem Milchsaft wird Opium gewonnen, das zur Entspannung von Nerven und Beruhigung bei krampfartigen Anfällen dient. Die Anwendung sollte nur unter ärztlicher Anleitung erfolgen.

Flohkraut *(Plantago psyllium)* aus dem Mittelmeerraum hat graubraune ovale Samen, welche die Peristaltik anregen. In den Tropen wird es bei Ruhr eingesetzt.

Baldrian *(Valeriana officinalis)* ist eine ausdauernde Pflanze aus Europa, dem gemäßigten Asien und Japan. Die Wurzelrhizome werden bei Nervosität, Reizung und zur Förderung des Schlafes verwendet.

Das Duftveilchen *(Viola odorata)* ist eine reizende Staude aus Europa, Kleinasien, dem Kaukasus, Palästina und

TODBRINGENDER OLEANDER

Diese Pflanze (Nerium oleander) *wird in gemäßigten Zonen häufig als Zimmerpflanze kultiviert, in Mittelmeerländern wächst sie zu einem Busch von 3 m Höhe und mehr heran. Alle Teile sind jedoch außerordentlich giftig: Während ihres Spanienfeldzuges Anfang des 19. Jahrhunderts verwendeten französische Soldaten Oleanderholz für Fleischspieße, was leider manchen den Tod brachte.*

Links: Die winterharte Pfingstrose *(Paeonia officinalis)* ist sowohl eine herrliche Gartenpflanze als auch ein wichtiges Heilmittel zur Behandlung vieler Krankheiten, insbesondere Krämpfen wie der Epilepsie.

Nordafrika. Die Blätter haben antiseptische Bestandteile, während die Blüten zu einem Sirup gegen Erkältungen und Husten verarbeitet werden.

Wintergrün *(Gaultheria procumbens)* ist ein bodendeckendes, immergrünes Gehölz aus dem nördlichen Amerika. Die Blätter finden medizinische Verwendung bei Rheumatismus, Durchfall und Bauchweh bei Kindern.

SCHAFE AUFGEPASST!

Die Blätter des in Nordamerika vorkommenden immergrünen Strauches Kalmia latifolia, *des Berglorbeers, wirken tödlich auf Schafe. Die Indianer fertigten aus den Wurzeln Eßlöffel. Frisch ausgegrabene Wurzeln lassen sich leicht bearbeiten, später werden sie hart und glatt.*

KRÄUTERGÄRTEN FÜR DIE KÜCHE

Viele Küchenkräuter stammen aus warmen Ländern und benötigen daher eine geschützte Lage, die leicht zur Sonne geneigt sein sollte, um Wärme und einen gut drainierten Boden zu gewährleisten; Pflanzen für feuchten Boden setzt man am besten in den unteren Teil des Hanges.

Zur Vorbereitung eines Kräutergartens gräbt man – falls der Boden nicht kultiviert wurde – im Winter tief um; ansonsten in Spatentiefe. Danach entfernt man alle ausdauernden Unkräuter und mischt Gartenkompost oder gut verrotteten Dung unter, um eine ausreichende Feuchtigkeit in trockenen Perioden zu gewährleisten und Nährstoffe für die Pflanzen zu bereiten. Im Frühjahr harkt man die Oberfläche auf.

Kräuterbeete

Beete mit einer Breite von mehr als 1,5 m lassen sich schlecht in Ordnung halten, da die rückwärtigen Pflanzen schwer zu erreichen sind; falls ein Beet dieser Breite durch eine Hecke begrenzt wird, ist ein etwa 60 cm breiter Pfad zwischen den Pflanzen und der Hecke zu empfehlen. Hecken benötigen viele Nährstoffe und auch einen großen Teil des zur Verfügung stehenden Wassers, wodurch der angrenzende Bereich trocken und unfruchtbar werden kann. Zieht sich ein Grasweg oder Rasen an der Kante des Kräuterbeetes entlang, werden überhängende Pflanzen unan-

Rechts: Kräutergärten sind eine bunte Mischung aus Sommerblumen und Sträuchern, wie dem Lorbeer *(Laurus nobilis)*, dessen Blätter in der Kochkunst sehr geschätzt sind.

sehnliche kahle Flecke hervorrufen. Um das zu vermeiden und die Kräuter in einer natürlichen Weise herabwallen zu lassen, entfernt man den Rasen und bringt an diese Stelle eine Kante aus Trittsteinen an. Die meisten Kräutergärten werden im Frühling oder frühen Sommer mit Containerpflanzen bepflanzt. Es empfiehlt sich, vor dem Einpflanzen das Beet auf einem Karopapier zu planen: Sofern möglich, setzt man in Dreiergruppen, um somit rasch einen schönen Anblick zu erzielen. Ist die Planung fertig, wässert man Boden und Pflanzen vor, um eine zügige Entwicklung zu gewährleisten. Nach einigen Tagen, sobald der Boden anfängt auszutrocknen, markiert man mit trockenem, scharfen Sand den Bereich jeder Pflanzengruppe auf dem Boden.

Zur Pflanzung entfernt man die einzelnen Kräuter aus dem Plastiktopf und pflanzt gut andrückend ein; jede Pflanze sollte etikettiert sein. Wenn die Pflanzung abgeschlossen ist, lockert man die Bodenoberfläche leicht auf und wässert den gesamten Bereich ausreichend. Man wiederholt den Gießvorgang, bis die Pflanzen fest eingewurzelt und angewachsen sind.

Kräutergarten im Wagenrad

Der Anblick von Gartenkräutern in einem runden, wagenradähnlichen Arrangement wirkt dekorativ und ungewöhnlich zugleich. Auch wenn ein Wagenrad nicht verfügbar ist, kann dieser Eindruck auf einem entsprechend vorbereiteten Stück künstlich erzeugt werden, indem man große, farbige Kieselsteine als Speichen beziehungsweise als große zentrale Nabe auslegt. Alternativ kann man dazu auch rustikale Hölzer verwenden.

Kleine, verhältnismäßig niedrig wachsende Kräuter wie Minze, Salbei und Thymian eignen sich für die Pflanzung im Wagenrad. In die Mitte kann man eine dominierende Pflanze wie z. B. Lorbeer *(Laurus nobilis)* setzen.

Schachbrettmuster

Hierzu belegt man einen ebenen Boden schachbrettartig mit flachen Trittsteinen in der Größe von ca. 50 x 50 cm, so daß sich eine entsprechende Anzahl von Erd- und Steinquadraten ergeben. Verschiedene Kräuter können dann eingepflanzt werden; durch den Wechsel von panaschierten und immergrünen Kräutern entsteht ein hübscher Anblick.

KÜCHENKRÄUTER

Zu den beliebtesten Küchenkräutern zählen Anis, Basilikum, Bohnenkraut, Boretsch, Dill, Engelwurz, Estragon, Fenchel, Kerbel, Koreander, Kümmel, Liebstöckel, Lorbeer, Majoran, Melisse, Minze, Petersilie, Rosmarin, Salbei, Schnittlauch, Thymian, Ysop.

KÜCHENKRÄUTER IM TOPF

Kübel, Töpfe, Tröge und Blumenkästen, die an warmen, sonnigen Sitzplätzen mit Kräutern bepflanzt sind, erfreuen das Auge, duften würzig und bereichern die Küche. Auch Balkone kann man mit ein paar Kräutertöpfen freundlicher gestalten.

Größere Kräuterpflanzen wie Rosmarin und Lorbeer werden am besten in Kübeln kultiviert. Kerbel, Schnittlauch, Petersilie, Majoran, einjähriges Bohnenkraut, Basilikum und Thymian sind dagegen eher für Töpfe und Blumenkästen geeignet. Da Minze

wuchert, wird sie am besten gleich in einen größeren Topf gesetzt.

Salbei und Weinraute kultiviert man in größeren Töpfen. Werden sie zu groß, kann man sie in den Kräutergarten umpflanzen.

Bei der Topfkultur ist es ganz wichtig, die Erde feucht zu halten; gruppiert man mehrere Töpfe

zueinander, erleichtert man das Bewässern. Dennoch müssen die Pflanzen im Sommer täglich mehrfach mit ausreichender Feuchtigkeit versorgt werden.

Rechts: Im ländlichen Bauerngarten ist die Kräuterecke über das ganze Jahr mit Trittsteinen zugänglich, die – wie hier abgebildet – von Thymianpolstern eingefaßt sein können.

KRÄUTER EINFRIEREN

Küchenkräuter behalten ihr Aroma bis zu sechs Monaten nach dem Einfrieren. Junge Triebe und kleine Zweige lagert man im ganzen in verschlossenen Plastiktüten ein. Bei einer anderen Methode friert man sie in Wasser ein. Dazu werden die Blätter fein gehackt, in Eiswürfelbehälter gelegt, mit Mineralwasser aufgefüllt und eingefroren. Sobald tiefgefroren, legt man die Eiswürfel in Plastiktüten und etikettiert sie mit Inhalt und Datum.

Sofern die Kräuter noch jung oder klein sind, füllt man den Pflanzbereich nicht auf, sondern breitet Steinsplitt drumherum aus. Dies bringt die Pflanzen besser zur Geltung, hält Unkraut ab und den Boden feucht.

Für einen Kräutergarten im Schachbrettmuster verwendet man Trittsteine mit rauher Oberfläche und in Naturfarben, damit sie mit den Pflanzen harmonieren. Glatte Steine in grellen Farben sind ungeeignet.

APHRODISIAKA AUS KRÄUTERN

Kräutergärten sind die natürlichsten Bereiche für aphrodisierende Pflanzen.

Fenchel *(rechts)* war den Römern für seine Eigenschaft, Stärke zu verleihen, bekannt, während er nach dem Kamasutra die sexuelle Aktivität erhöhen soll.

Der im östlichen Mittelmeerraum beheimatete Bockshornklee hat Samen, die als Aphrodisiakum gelten.

Ginseng wird oft als Weltwunder bezeichnet, soll geistiges wie körperliches Wohlbefinden fördern und die sexuelle Potenz erhöhen.

Wilder Majoran symbolisiert das Glück und soll durch seinen süßen Duft entspannend wirken.

Das Mädesüß verbreitet einen süßen Duft und

wurde früher zum Ausstreuen bei Hochzeiten verwendet.

Minze wird in östlichen Ländern zur Stärkung der Männlichkeit verwendet. Der Pflanzenkundler John Parkinson vertrat im 16. Jahrhundert die Theorie, daß Aristoteles und andere griechische Schriftsteller einst verkündet hätten, daß Minze zur Erhöhung des Sexualtriebes beiträgt.

Die Myrte ist seit langem Bestandteil von Hochzeitsfeierlichkeiten, und im alten Rom wurde aus ihren Blüten und Blättern unter Zusatz von Wein ein Liebestrank gebraut.

Auch die Stranddistel hat Wurzeln mit aphrodisierenden Eigenschaften und galt früher bei den Arabern als ausgezeichnetes Stärkungsmittel.

Dem Eisenkrautsalbei sagten schon die Ägypter, Chinesen, Perser, Kelten und Römer nach, eine potenzverlängernde Kraft zu haben; es wurde auch von Priestern zu Opfergaben verwendet.

HEILENDE BLUMEN

Schon der Begriff „Blume" übt auf viele Menschen einen magischen Zauber aus, ruft Gedanken an Schönheit und Ästhetik, an Empfindungen der Liebe und Romantik, an geheime Welten und Aberglauben herauf. Blumen sind seit jeher Boten der Liebe mit einem ganz eigenen Gefühlsvokabular. Alle diese Eigenschaften sind von inspirierender und heilender Natur.

In jedem Garten finden sich gewöhnlich Blumen aus aller Herren Ländern, wobei man einheimische Pflanzen meist vermißt. Dieser Trend besteht nun schon seit einigen Jahrhunderten und entstand mit den Botanikern, die weit umherreisten, um mit den exotischsten Pflanzen und Samen zurückzukehren.

Gärten sind daher internationaler, als wir uns gemeinhin vorstellen. Im Sommerblumenbeet mag sogar der Kalifornische Mohn zu finden sein, unser „Schlafmützchen" *(Eschscholzia californica)*, weshalb die Spanier die Gegend dort als „Land des Feuers" und „Goldener Westen" benannten. Im Beet daneben stößt man auf die wohlriechende Kornblume *(Amberboa moschata*, früher bekannter unter *Centaurea moschata)* aus dem Orient oder den einstmals allgegenwärtigen Feldmohn *(Papaver rhoeas)*, der aus Europa und vielen anderen Gegenden stammt.

Es ist jedoch mitunter sehr sinnvoll, einheimische Pflanzen zu kultivieren – nicht nur weil sie besonders schön anzusehen sind, sondern weil sie die ideale Umgebung und Nahrung für einheimische Vögel, Säugetiere und Insekten bieten.

GÄRTEN MIT EINHEIMISCHEN BLUMEN

Diese Blumengärten weisen eine Vielfalt an Pflanzen auf: von Gräsern über Sommerblumen zu ausdauernden Stauden und Zwiebelgewächsen. Die Auswahl dieser Gewächse richtet sich nach dem jeweiligen Klima, Bodentyp, Lage, Schatten – beziehungsweise Sonnenseite.

Einheimische Pflanzen bevorzugen einen nicht zu fruchtbaren Boden; überreiche Nährstoffversorgung fördert einen aufschießenden, üppigen Wuchs, der sie bei kalten Wetterlagen verletzlich sowie für Schädlings- und Krankheitsbefall anfällig macht. Einen über längere Zeit unbearbeiteten Boden gräbt man im Winter um und läßt ihn bis zum Frühjahr gut absetzen. Vor der Einsaat wird die Oberfläche mit dem Rechen geebnet. Ausdauernde Unkräuter wie Ampfer, Löwenzahn und Schachtelhalm sind sorgfältig zu entfernen.

Saatmischungen von einheimischen Blumen sind überall im Handel erhältlich; sie werden am besten mit feinem, trockenem Sand vermischt, um das Ausstreuen zu erleichtern.

BLUMEN FÜR DIE INNENDEKORATION

Schon ein paar frische Blumen in der Vase geben dem Zimmer eine freundliche Note und rufen eine Atmosphäre des Wohlbefindens hervor. Nicht umsonst gelten Blumen als Übermittler guter Wünsche für kranke Menschen.

Gegenüberliegende Seite: Der Feldmohn *(Papaver rhoeas)* war einst die Geißel der Bauern, da er immer wieder wild aufging. In einem natürlichen Blumengarten hingegen erzeugt er eine lebhafte Stimmung. Junge Schößlinge, bevor sie Blütenköpfe ausbilden, werden heutzutage in Salaten verspeist.

Oben Mitte: Dieses delikat kolorierte Blumengebinde aus der Viktorianischen Epoche erschien erstmals *in* „The Language of Flowers", einem der vielen Bücher, die zu diesem faszinierenden Thema veröffentlicht wurden.

Blumen zu attraktiven Buketts zu arrangieren, ist nicht schwierig, und obgleich die Meister dieser Kunst gewisse Regeln aufgestellt haben, ist es in Wirklichkeit eine Sache des persönlichen Geschmacks, was man aussucht und wie man es kombiniert.

Man muß sich dabei nicht auf Blumen beschränken: Zweige, Gräser, und Früchte lassen eine unendliche Vielfalt zu.

Viele Sommerblumen und Stauden eignen sich sehr gut für Schnittblumen zu Hause: z. B. die feingefiederte Schafgarbe *(Achillea filipendulina)* mit ihren großen zitronengelben Blütenköpfen. Von ähnlicher Farbe ist die Sorte 'Coronation Gold'.

Von völlig anderer Art ist die in Südafrika beheimatete Schmucklilie *(Agapanthus* 'Headbourne Hybrids'): Sie gehört zu den relativ ausdauernden, kräftigen Pflanzen mit lila- bis blaßblauen Blüten in großen, schirmartigen Blütenköpfen.

Oben rechts: **Wenige Sommerblumen sehen so reizend aus wie die aus Südeuropa stammende Jungfer-im-Grünen *(Nigella damascena)*. Den ganzen Sommer über bringt sie blaue und weiße Blüten in einem fadenähnlichen Blättergewirr hervor.**

Die Inkalilie *(Alstroemeria)* hat wie die Schmucklilie fleischige Wurzeln und kann bei uns nur mit entsprechendem Schutz überwintern. Bekannt sind die „Ligtu-Hybriden“ mit trompetenförmigen Blütenbüscheln in Scharlachrot, Rosa, Orange, Gelb und Weiß. Die einjährige Ringelblume *(Calendula officinalis)* dagegen bringt nur gelbe und orangefarbene Blüten hervor.

Die Sommeraster *(Callistephus chinensis)* erfreut uns mit ihren großen, margeritenähnlichen Blüten. Es gibt viele Sorten in roten, violetten, rosafarbenen wie auch weißen Tönungen.

Die Rasselblume *(Catananche caerulea)* ist eine kürzerlebige, ausdauernde Staude mit hellblauen Blüten. Es gibt verschiedene Sorten mit Farben von Lavendelblau bis Weiß.

Der weitverbreitete Rittersporn *(Consolida ambigua,* früher auch als *Delphinium consolida* bekannt) ist eine einjährige Beetpflanze mit rosa, roten, violetten oder weißen Blüten.

Das Mädchenauge *(Coreopsis verticillata),* eine Staude, entwickelt fein geschlitzte, farnblattähnliche Blätter mit gelben Blüten. Die Sorte 'Grandiflora' ist tiefgelb.

DAS VERHEISSUNGSVOLLE SUMMEN IM GARTEN

Bis Ende des 16. Jahrhunderts galt Honig als der hauptsächliche Süßstoff für die Zubereitung und Aufbewahrung von Speisen. Selbst das Bienenwachs fand Verwendung für Polituren und Kerzen. Auch in der überlieferten Heilkunde spielten Wachs und Honig eine große Rolle. So nutzte man Bienenstiche zur Behandlung von Rheumatismus. Insbesondere die Landbevölkerung zollte daher den Bienen große Achtung.

In manchen Gegenden war es üblich, den Bienen Veränderungen über familiäre Umstände, wie Tod, Hochzeit und Geburt mitzuteilen. Gelegentlich band man weiße Bänder um die Bienenkörbe, wenn eine Hochzeit anstand.

In einigen Ländern Europas herrschte der Glaube vor, daß die Bienen Abgesandte der Götter seien, und in Schottland ging der Spruch um: „Frag die wilden Bienen, was der Druide weiß.“

Die nordamerikanische Kokardenblume *(Gaillardia pulchella),* die nicht winterhart ist, entfaltet große, margeritenähnliche Blüten in vielen hellen und gemischten Farbtönungen.

Das einjährige Schleierkraut *(Gypsophila elegans)* bringt büschelweise hübsche weiße und rosafarbene Blüten hervor. Die winterharte Staudenform *(G. paniculata)* hat graugrüne, schmale Blätter und bildet ganze Wolken weißer oder rosa Blüten. Die Sorte 'Bristol Fairy' verfügt über gefüllte weiße Blütchen.

Die bekannte einjährige Schleifenblume *(Iberis umbellata)* hat kugelige Blütenköpfe in Rot, Violett und Weiß.

Jungfer-im-Grünen *(Nigella damascena),* ebenfalls eine einjährige Sommerblume, entwickelt feingeschnitzte Blätter und blaue oder weiße Blüten.

Wenige Sommergewächse sind als Schnittblume so geeignet wie die Zimmerkalla *(Zantedeschia aethiopica* 'Crowborough'). Diese Staude ist nicht ganz winterhart, wurzelt in Rhizomen, wirft die Blätter zum Winter ab und entwickelt große, an Arum erinnernde weiße Blüten.

IMMERWÄHRENDE BLUMENSTRÄUSSE

In vielen Gärten wächst eine Fülle von Stauden und Sommerblumen, deren Blüten und Samenstände sich trocknen und zu attraktiven Sträußen arrangieren lassen. Im Gegensatz zu den Schnittblumen mit ihrer relativ kurzen Lebensspanne sorgen Trockenblumen für einen ganzjährigen, erfreulichen Anblick. Sie sind besonders im Winter willkommen, wenn frische Blumen aus dem Garten im allgemeinen nicht erhältlich sind.

Etwas Besonderes läßt sich unter Verwendung von Samenhülsen, Tannenzapfen, Muscheln oder auch Stücken von Treibholz gestalten. Außergewöhnliche Formen und Strukturen ändern das Erscheinungsbild völlig.

Von den vielen zum Trocknen geeigneten Blumen und Samenständen

KRÄNZE

Kränze werden gerne verwendet, um Hochzeiten und religiöse Feiern festlich zu begehen. In Griechenland trugen die Mädchen Brautkränze aus Rosen mit hineingewundenen Myrten. Viele Leute schmücken heutzutage während der festlichen Weihnachtszeit ihre Türen mit einem Kranz.

Links: **Der Kalifornische Mohn *(Eschscholzia californica)* blüht in so intensiven Farbtönungen, daß die Spanier sein Herkunftsgebiet als „Das Land des Feuers" beziehungsweise „Goldener Westen" bezeichneten. Er hat auch medizinische Bedeutung: Die amerikanischen Ureinwohner behandelten mit seinem farblosen Saft Zahnweh. Heutzutage verwendet man Substanzen dieses Mohns in der Suchtmedizin.**

MISSVERSTÄNDNISSEN VORBEUGEN

Die Überreichung einer Blume hatte einst in korrekter Form zu erfolgen, damit keine Mißverständnisse entstanden: Wurde die Blume beispielsweise kopfüber dargereicht, war ein gegensätzlicher Sinn beabsichtigt. Erhielt eine Dame eine Rosenknospe mit Blättern und Dornen, bedeutete dies: „Ich bin im Zweifel, aber ich hoffe." Und falls die Dame dem Gentleman jene Rose kopfüber zurückreichte, bedeutete es: „Haben Sie weder Zweifel noch Hoffnung!"

Oben: Samenstände bilden charakteristische Elemente in Blumenbeeten. Vor dem Hintergrund der Goldrute *(Solidago)* treten die großen Samenkapseln des Schlafmohns *(Papaver somniferum)* markant hervor. An langen Stielen geschnitten, können sie auch zur Dekoration im Hause verwendet werden.

Gegenüberliegende Seite: Viele Blumen lassen sich gut schneiden und kopfüber zum Trocknen aufhängen. Zu schönen Arrangements gebunden, zieren sie noch viele Monate lang unsere Innenräume.

sei der Bärenklau *(Acanthus mollis)* erwähnt, eine große Staude mit breiten, an den Rändern gewellten Blättern und schmalen aufrechten, weißen und violetten Blütenrispen.

Der Brennende Busch *(Dicatamnus albus)* ist eine Staude mit weißen, spinnenähnlichen Blüten. Wenn sich die Samenstände ausgebildet haben, schneidet man die Stiele ab.

Die Kugeldiestel *(Echinops ritro)* zeigt zur Blütezeit stahlblaue Blütenköpfe.

Die Staude *Iris foetidissima* bildet im Frühsommer unauffällige violette Blüten, später jedoch schöne Samenstände.

Die Riesendistel *(Onopordum acanthium)*, ebenfalls eine Staude mit breiten silbrigen Blättern, entfaltet blaßviolette, distelähnliche Blüten von etwa 5 cm Durchmesser.

Der Türkenmohn *(Papaver orientale)* bringt große, markante Blüten in vielen Tönungen von Dunkelrot über Scharlach, Orange, Rosa, Lachs bis Weiß und Mauve hervor. Die kugeligen Samenkapseln sind auch im getrockneten Zustand sehr dekorativ.

Die bekannte Lampionblume *(Physalis alkekengi)* ist eine weiß blühende Staude, die im Spätsommer orange Früchte in hellroten schirmartigen Hülsen trägt. Man schneidet die Stiele, sobald sie sich zu verfärben beginnen.

Verschiedene jährlich wiederkehrende Pflanzen gehören zu den einjährigen Sommerblumen. So wird auch der Strandflieder *(Limonium sinuatum)* einjährig gezogen und entwickelt ab Sommermitte bis zum Herbst azurblaue Blüten. Es gibt viele andere Sorten und Farben in Gelb, Orange, Karminrot, Rosa und Weiß.

Das Ruhrkraut *(Gnaphalium)* ist ebenfalls eine einjährige Pflanze und entwickelt mit der Sorte 'Fairy Gold' silbergraue Blätter und gefüllte, gelb bis orangefarbene Blüten.

Die Strohblume *(Helichrysum)* bildet aus dem Samen von 'Bright Bikini Mixed' große margeritenähnliche Blüten in vielen Farben.

Die Muschelblume *(Molluccella laevis)* sieht ähnlich aus, hat aber im Sommer olive bis smaragdgrüne Blättchen, die im getrockneten Zustand jahrelang halten.

SCHMETTERLINGSGÄRTEN ANLEGEN

Wenige Insekten sind so zart und wunderschön wie die Schmetterlinge, die an Sommertagen idyllische Szenarien der Ruhe und Geschäftigkeit in unsere Gärten bringen. Ihre Lebendigkeit und Eleganz erzeugt eine anregende und doch beschauliche Atmosphäre, die uns hilft, den Alltag zu vergessen.

Buddleia, Lavendel, Flieder und Liguster sind Sträucher, die Schmetterlinge anziehen und Achillea, Herbstaster, Centranthus, Erigeron, Helenium, Skabiose, Sedum Spectabile und Solidago gehören zu den Beetstauden, die Schmetterlinge in die Gärten locken.

Getrocknete Samenstände und Blumen
Um Blumen zu trocknen, schneidet man sie – möglichst langstielig – kurz bevor sich die Blüte voll zu öffnen beginnt. Beim Samenkopf trennt man den Stiel zu dem Zeitpunkt ab, sobald sich der Samenstand verfärbt. Man bindet sie zu losen Bündeln und hängt sie kopfüber in einen trockenen, kühlen oder mäßig warmen, gut durchlüfteten Raum und beläßt sie dort, bis alle Feuchtigkeit entwichen ist; die Austrocknung darf jedoch nicht zu schnell vor sich gehen. Es gibt noch viele weitere hierfür geeignete Pflanzen, so z. B. Bärenklau (Acanthus spinosus), *Perlpfötchen* (Anaphalus triplinervis), *Gemüseartischocke* (Cynara cardunculus), *Edeldistel* (Eryngium) *und Meerlavendel* (Limonium latifolium).

Oben: Die Lampionblume *(Physalis alkekengi)* überrascht mit einer Fülle hellroter Samenkapseln, die wie Papierlaternen aussehen und sich gut zur Dekoration eignen. In warmen Regionen trägt die Pflanze eine köstliche eßbare Frucht, die Ananaskirsche.

Die Federbusch-Celosie 'Flamingo Feather' ist mit ihren hell- und dunkelrosa Blüten eine typische Sommerblume.

Ebenfalls einjährig ist die *Craspedia globosa* 'Drumsticks', sie entwickelt silberne Blätter und blüht gelb.

LIEBESBOTEN

Seit Jahrhunderten werden Gefühle der Liebe und Leidenschaft mit Blumen, ihren Blättern und Dornen assoziiert.

So erklärten die Griechen ihren Beifall, indem sie dem siegreichen Athleten einen Lorbeerkranz aufs Haupt setzten.

Die popularisierte Bedeutung der Blumen geht jedoch unter anderem auf die im 18. Jahrhundert gefeierte Briefeschreiberin und Gesellschaftsdichterin Lady Mary Wortley Montagu zurück. Sie begleitete 1716 ihren Ehemann nach Konstantinopel (dem späteren Istanbul), als er als britischer Botschafter an den Hof des türkischen Sultans entsandt wurde.

Die Übermittlung von Botschaften mit Hilfe von Blumen war in der Türkei seit dem 17. Jahrhundert bekannt, und Lady Montagu sandte bald Briefe nach England, in denen sie jene Sprache der Liebe detailliert beschrieb. Sie vertrat die Meinung, daß es mittels Blumen möglich sei, Botschaften der Liebe, der Leidenschaft wie auch des Verdrusses zu versenden, ohne sich die Finger mit Tinte zu beschmutzen.

Einige Jahre später kehrte sie nach England heim und brachte die Gefühlssprache der Blumen unters Volk; leider geriet sie mit dem Satiriker Alexander Pope in einen heftigen Streit darüber. Schließlich ging sie nach Frankreich und kehrte 20 Jahre nicht zurück.

EINE BLUME IM KNOPFLOCH

Blumen am Revers von Jacken und Mänteln zu tragen, war nur eine verhältnismäßig kurze Zeit populär und scheint im wesentlichen auf die Mode in der Viktorianischen Zeit zurückzugehen. Bis zum Ersten Weltkrieg trugen viele elegant gekleidete Herren in London eine Blume im Knopfloch – am berühmtesten waren vielleicht die Chrysanthemen des geistreichen englischen Dramatikers und Poeten Oscar Wilde (siehe Abbildung) sowie die Orchidee des Politikers Joseph Chamberlain.

Wann diese Mode aufkam, ist ungewiß und ebenfalls die Geschichte, ob der englische Prinzgemahl Albert tatsächlich dem Strauß seiner Gattin, Queen Victoria, eine Blume entnahm, um diese in seinen Uniformrock zu stecken – in den er dafür ein Loch schneiden mußte.

Eiine andere Legende berichtet, daß Napoleon bei der Gründung der Ehrenlegion im Jahre 1802 das rote Ordensband in der Farbe roter Nelken auswählte.

Im 19. Jahrhundert zeugte es von eleganter Lebensart und guten Umgangsformen, eine Blume – vorzugsweise eine rote Nelke – im Knopfloch zu tragen; dabei durften keine Blätter zur Verstärkung verwendet werden. Zu einer pinkfarbenen Reiterjacke konnten jedoch auch lila Veilchen getragen werden und zum schwarzen Frack eine weiße Nelke. Um die Blume frisch zu halten, kam der Stengel in ein kleines verborgenes Glasröhrchen. Frauen zur Zeit der Französischen Revolution trugen frische Blumen im Kopfputz.

Heutzutage wird dieser Brauch noch anläßlich von Hochzeiten gepflegt. Gewöhnlich wählt man dafür eine weiße Nelke, gestützt durch Asparagus oder Frauenhaarfarn.

LINKS- ODER RECHTSHÄNDIG?

In der Blumensprache drückt auch die Hand, mit der eine Blume dargebracht wird, eine bestimmte Haltung aus. Wird eine Blume als Antwort auf eine Frage übergeben, bedeutet es Verneinung, wenn sie mit der linken Hand überreicht wird, und Bejahung mit der rechten Hand.

Die Franzosen nahmen die romantische Bedeutung der Blumenbotschaften begeistert auf, und um die Mitte des 19. Jahrhunderts wurden viele Bücher veröffentlicht, die sich hauptsächlich auf die frühen Schriften Mme. de la Tours stützten. Bedauerlicherweise waren viele dieser Interpretationen für die prüde viktorianische Gesellschaft zu frivol und mußten deshalb fortgelassen oder abgeschwächt werden.

BLUMEN ALS GLÜCKSBRINGER

Sei es als Talisman, als Anhänger oder Amulett: Glückbringende Steine, bestimmte Farben und Zahlen, Blumen, Edelsteine oder Tiere gelten seit alters als Glückszeichen und haben einen wichtigen Stellenwert im Leben vieler Menschen.

Damit ein solcher Glücksbringer dem Eigentümer tatsächlich Gesundheit und Wohlergehen beschert, verlangen Tradition und Brauch, daß dieser nicht ungerechtfertigt erworben wird, sondern vielmehr von einem befreundeten Menschen als Zeichen des Dankes überreicht werden soll.

Auch Blumen sind wichtige Geschenke und Überbringer guter Wünsche, und jedes Jahr werden sie zu Millionen verschenkt – nicht nur zum Valentinstag. Als Glücksblumen und Liebesboten gelten insbesondere folgende Sorten:

Der glückbringende *Fingerhut* ist in der Märchenwelt tief verankert – was vermutlich auf seine zarten Glockenblüten zurückzuführen ist.

Weißdorn an der Außenseite einer Eingangstür bringt ebenfalls Glück, aber Vorsicht – wenn man ihn mit ins Haus nimmt, soll er Unglück bringen!

Die *Heide* gilt seit langem als Überbringer von Glück und Gesundheit. *Weiße Heide* soll wegen ihres seltenen Vorkommens mehr Glück bringen als die purpurviolette Sorte.

Der *Dachwurz* wird seit langem Schutz vor Blitz und Feuer nachgesagt. In vielen Ländern läßt man die Pflanze daher gerne auf Stroh- und Pfannendächern wachsen.

Oben: **Die Kugeldistel *(Echinops ritro)*, eine Staude, entwickelt aufrechte Stiele mit kugeligen, stahlblauen Blütenköpfen.**

FLEUR-DE-LIS

Man sagt, die gelbe Sumpfiris (Iris pseudacorus) *soll das Wappenemblem der Könige von Frankreich inspiriert haben: Im 6. Jahrhundert n.Chr. befand sich Chlodwig I., König der Franken, in einem Kampf und versuchte verzweifelt, das andere Ufer eines Flusses zu erreichen. Plötzlich bemerkte er, daß die Sumpfiris an einer Stelle über den ganzen Fluß hinüber wuchs und dadurch seichtes Wasser anzeigte. Es gelang ihm daraufhin, seinem Feind zu entkommen. Als Dank dafür nahm er die Blume in sein Wappen auf.*

Lavendel soll den Liebenden Glück und Gesundheit bringen. Früher gehörten Duftsäckchen zum wichtigen Requisit der Brautausstattung.

Die *Lotusblume* gilt auch heute noch als Zeichen für Glück und Gesundheit. In der ägyptischen, chinesischen und hinduistischen Mythologie war sie seit Jahrhunderten das Symbol der Fruchtbarkeit.

Eibisch ist seit langem als Glücksbringer für Liebespaare bekannt. Ein Strauß davon auf der Türschwelle oder Fensterbank soll ewige Treue garantieren.

Mistelzweige haben insbesondere zur Weihnachtszeit andächtige Befürworter; in westlichen Ländern fordert ein Brauchtum den Austausch von Küssen, wenn sich ein Paar darunter aufhält.

Die *Myrte* wird ebenfalls als Blume der Liebenden verehrt und ist seit vielen Jahren Bestandteil des Brautkranzes.

Rosmarin steht für die Erinnerung und ist das Erkennungszeichen der Liebenden und Freunde. Erhält man einen Zweig, sollte man seine Gedanken auf den Überbringer lenken.

Die *Weinraute* war nicht nur ein Mittel, um Keime abzuwehren, sondern auch ein Instrument gegen Zauberei.

Das *Kleeblatt* ist normalerweise dreiblättrig; Christen messen ihm daher durch die Assoziation mit der Heiligen Dreifaltigkeit religiöse Bedeutung bei. Die glücksbringenden Kräfte der seltenen vierblättrigen Form kann auf die Druiden zurückgeführt werden: Schon damals herrschte die Meinung, daß der Besitz eines vierblättrigen Kleeblattes Wünsche in Erfüllung gehen ließ.

Blumenmoden

Über die Jahrhunderte hinweg kamen immer wieder unterschiedliche Blumen in Mode, fielen aber mit der Zeit der Vergessenheit anheim. Zum Beispiel war in England Mitte des 18. Jahrhunderts das Gänseblümchen *(Bellis perennis)* mit mehr als 12 Sorten weitverbreitet. Zu den Blumen, die zu bestimmten Zeiten populär waren, gehören folgende Beispiele:

Lotus – Indien und im alten Ägypten.

Veilchen – Athen im 4. Jahrhundert v.Chr., später in Europa (besonders Frankreich) von 1790 bis 1830 und später von 1870 bis 1914.

Rosen – Römisches Kaiserreich, als Kleopatra Marc Anton in einem mit Rosen bedeckten Zimmer verführt haben soll. Die Entwicklung der Teerosenhybriden nahm im 19. Jahrhundert in Europa ihren Lauf und führte zu einem neuen Interesse an Rosen.

Rosmarin – in Legenden und Überlieferungen des Mittelalters.

Lilien – in Griechenland seit 1500 v.Chr. bekannt.

Schachbrettblumen – einst in der Türkei populär, später während des 16. und 17. Jahrhunderts zahlreiche Anhänger in Deutschland.

Gegenüberliegende Seite:
Krishna bedeutet im Sanskrit „der Schwarze" und ist eine der größten hinduistischen Gottheiten. Er wird oft als anmutiger Hirte beim Flötespielen dargestellt. Diese Abbildung zeigt die altindische Gottheit mit dem Sonnensymbol, der heiligen Lotusblume.

Hochzeitssträusse

Myrten sind von alters her im Brautstrauß enthalten, besonders in den Mittelmeerländern. Sie sollen auch unter den Blumenarrangements alter jüdischer Hochzeiten gewesen sein. Griechische Mädchen trugen unter ihren violetten Brautschleiern Sträuße aus Rosen und Myrten.

Auch in England und Deutschland war die Myrte unter den Hochzeitsblumen vertreten; getrocknet fand sie sich später als Strauß an Haustüren, und im Garten verdankte sie ihre Existenz meist einem Ableger aus dem Brautstrauß. Das Einpflanzen war stets Sache der Braut, niemals des Bräutigams! Oft wurde auch der Weg zur Kirche mit Rosmarin, Ringelblumen und Ginster bestreut.

Die Angewohnheit, Reis oder Konfetti über Braut und Bräutigam zu werfen, soll ebenfalls Glück verheißen. In Ostasien steht dieser Brauch für Wohlstand und Fruchtbarkeit.

In angelsächsischer Zeit herrschte in England die Sitte, als Braut über Gerste und Weizen zu schreiten. Im Fränkischen Reich unter Karl dem Großen hatte die Braut Rosmarin in ihrem Brautstrauß. Zweige dieses duftenden Strauches wurden auch von den adligen Damen getragen, als ein Zeichen der Ergebenheit.

Kränze aus Orangenblüten waren indessen im Orient verbreitet; mit den Kreuzzügen des 11. bis 13. Jahrhunderts wurden Orangenblüten auch in europäische Brautsträuße aufgenommen. Anfang des 20. Jahrhunderts entstand in Nordamerika und Europa die Mode, daß die Braut ihren Strauß den herumstehenden Freundinnen zuwirft – und wer ihn auffängt, sollte die nächste Braut sein. Dieses Ritual läßt sich wiederum auf einen früheren Brauch zurückführen: das Hochwerfen eines Brautstrumpfes der Braut aus der Zeit von 1600 bis 1750.

VERPACKTE BOTSCHAFTEN

Wenn sich Verliebte Blumenschachteln zuschickten, hatte der Knoten des Geschenkbandes eine spezielle Bedeutung – je nachdem, auf welcher Seite der Knoten geschlungen war.

DIE SPRACHE DER BLUMEN

Blumensträuße können vielfältigere Botschaften enthalten als einzelne Blüten. Die Positionen der Blumen untereinander haben nämlich eine spezielle Bedeutung: Ein nach rechts hängender Blumenkopf bedeutet „Ich", wogegen ein nach links gebeugter „Du" meint.
Eine nach links geneigte Rosenknospe sagt „Du bist rein und lieblich", während ein nach rechts gewendetes Schneeglöckchen „Ich hoffe" symbolisiert.

Blätter und Dornen am Stiel haben ebenfalls besondere Bedeutungen: Blätter stehen für Hoffnung, Dornen dagegen für Gefahr.
Ein gefaltetes Efeublatt um einen Strauß bedeutet „Ich habe".
Ein Lorbeerblatt an ähnlicher Stelle meint „Ich bin".
Ein Blatt des Wilden Weins sagt „Ich gebe".
Eine Efeuranke drückt einen Wunsch aus.

Geranium, Goldlack, Sonnenwende und ein Blatt des Wilden Weins: „Ich biete treue Freundschaft, Zuneigung und Verehrung."

Eisenhut, Eberesche und Blaue Veilchen: „Vorsicht, Gefahr. Sei achtsam. Sei aufrichtig."

Eisenkrautsalbei, Basilikum, Hirtentäschel (eingewickelt in ein Lorbeerblatt): „Ich bin von Ihnen entzückt – wünsche alles Gute – biete mich Ihnen dar."

Mistelzweig, Weißdorn und Sonnenwende (bei der Präsentation nach rechts gedreht): „Ich überwinde die Schwierigkeiten – hoffe – wende mich an Sie."

Roter Mohn, Clematis, Glockenblume (mit Weinlaub zusammengebunden): „Ich biete Trost. Sie haben innere Schönheit. Ich lege mich Ihnen zu Füßen."

Tulpen – Anfang des 17. Jahrhunderts in Frankreich beliebt, u.a. am Dekolleté schöner Frauen.

Hyazinthen – weitverbreitet in der Türkei; in Holland riefen sie von 1637 bis Ende des 17. Jahrhunderts fast eine Hysterie hervor. Sie waren im späten 19. Jahrhundert auch in Deutschland sehr populär.

Dahlien – waren in Frankreich in den 1830er Jahren stark in Mode, in England und Deutschland in den 1840er Jahren.

Margeriten – in England um 1750 sehr bekannt.

Vergißmeinnicht – im 19. Jahrhundert in Frankreich weitverbreitet.

Aurikeln, Anemonen, Hyazinthen, Tulpen, Ranunkeln, Nelken und Primeln – im späten 19. Jahrhundert in England sehr verbreitet.

Fuchsie – in Berlin von 1830 bis 1840 verbreitet.

Kamelie – in Frankreich in den Jahren 1840 bis 1860 sehr beliebt.

Mignonette (Duftende Gartenreseda) – erfuhr durch Kaiserin Josephine Ende des 18. und Anfang des 19. Jahrhunderts große Verbreitung als Zimmerpflanze.

Orchideen – in Nordamerika und Europa in den 1870er Jahren verbreitet.

BLUMEN ALS APHRODISIAKUM

Die Auswahl an Blumen mit aphrodisischen Eigenschaften ist zwar kleiner als bei Gemüsen und Kräutern, doch gleichzeitig weiß man, daß fast jede Blume die Aufmerksamkeit auf Schönheit und Liebe, Wohlbefinden und Glück lenkt. Und mit Hochzeitsblumen werden unweigerlich romantische Stunden assoziiert.

Orangenblüten, früher bei den Sarazenen ein Symbol vorehelicher Keuschheit, sind gleichzeitig ein anregendes Getränk für die schüchterne Braut. Den langen, wuchernden Wurzeln des Hundsveilchens *(Viola canina)* wird nachgesagt, Liebesabenteuer zu beflügeln. *Crème de Violette,* ein Sirup aus dem Duftveilchen *(Viola odorata)* und als Parfait Amour bekannt, ist häufig Bestandteil von Liebestränken.

Gewisse Wurzelteile der Erdorchideen erinnern an Testikel und sollen die Libido steigern. Auch die Zwiebeln von Gladiolen und von Junkerlilien wurden früher für Aphrodisiaka gehalten.

Der Stechapfel *(Datura alba)* gilt in Indien seit langem als Heilpflanze und

Gegenüberliegende Seite:
Mit ihrer großen Vielfalt an Farben und Formen sind die Orchideen auch heute noch sehr beliebt.

Unten: **In vielen gemäßigten Gegenden bilden natürlich angelegte Parklandschaften Bereiche der Entspannung und Kontemplation. Dieser idyllische Ort liegt bei Mount Cuba, Delaware (USA).**

birgt angeblich aphrodisische Kräfte: Zermahlene Samen wurden zu diesem Zweck äußerlich auf die Sexualorgane aufgebracht – wenngleich es sich um eine Giftpflanze handelt, an der auch heute noch kleine Kinder sterben, wenn sie unreife Samen essen.

Beißbeernachtschatten *(Withania somnifera)* ist ebenfalls eine erotisierende Pflanze aus Indien. Nach der ayurvedischen Heilmedizin erhöht die Wurzel dieser Pflanze die Anzahl der Spermien. So galten die zermahlenen Wurzeln zusammen mit Milch oder zerlassener Butter als Aphrodisiakum.

BLUMEN FÜR VERSTORBENE

Trauerfeiern werden in allen Religionen veranstaltet, um den Toten in eine andere Welt zu verhelfen und die Hinterbliebenen zu trösten. Trauerkränze aus Blumen und Blattpflanzen sollen den Aufgebahrten in eine andere Welt begleiten; die Gräber im alten Ägypten wurden sogar mit Nahrung ausgestattet, um die Seele vor Hunger zu bewahren.

Die alten Ägypter konzipierten eigene Gärten für die Toten und glaubten fest daran, daß die Göttin des Todes, unter einem wunderbaren schattenspendenden Baum sitzend, die Toten mit Wasser und Früchten willkommen hieß.

Blumen wurden meist zusammen mit dem Toten begraben und als letztes Zeichen der Liebe in das offene Grab hineingeworfen. Auch bei Seebestattungen besteht seit jeher der Brauch, Kränze und Blumen auf das Wasser hinabzuwerfen.

Die alten Griechen streuten Lilien auf ihre Gräber; zu jener Zeit galten diese Blumen als Symbol der Jungfräulichkeit und Keuschheit. Sie glaubten, daß jene Blumen auf den Gräbern unschuldig Hingerichteter zu blühen anfingen. Die Gräber der Frauen waren mit Iris geschmückt, die der Kinder mit Kränzen aus Immergrün.

Im 17. und 18. Jahrhundert erlangte Rosmarin als Symbol der Erinnerung weite Verbreitung in Europa. In Frankreich war es Brauch, einen Rosmarinzweig in die Hände der Verstorbenen zu legen, während man in England Zweige davon ins offene Grab warf.

Bei der großen Auswahl an allen möglichen Blumen bringt man heutzutage mehr die Vorliebe des Verstorbenen zum Ausdruck, als daß man sich an überlieferte Traditionen halten würde.

Gegenüberliegende Seite: Lilien erfreuen sich seit vielen Jahrhunderten großer Wertschätzung. Diese Madonnenlilie (*Lilium candidum*, früher *L. albo* beziehungsweise *L. album)* war schon den Kretern zwischen 1750 und 1600 v. Chr. bekannt.

Oben: Astrologisch ausgerichtete Gärten – in denen das Aussäen, Pflanzen und Ernten im Hinblick auf Gestirnskonstellationen vorgenommen wird – werden zunehmend populär; sie sind für viele Gärtner der Schlüssel zum Erfolg.

Links: Die Tierkreiszeichen in Form einer astrologischen Uhr wirken durch die kontrastierenden Steine das ganze Jahr über sehr schön.

DIE HEILKRAFT VON GEMÜSE UND FRÜCHTEN

Um die Bevölkerung mit ausreichend Vitaminen und Nährstoffen zu versorgen, werden in aller Welt Gemüse, Obst, Beeren, Nüsse und verschiedene Pilze zur gesunden Ernährung angebaut. Viele davon haben eine heilende Wirkung und stellen häufig die Grundlage der Volksmedizin dar.

HEILENDES GEMÜSE

Rote Bete, mit ihren wunderschön gefärbten dicken Wurzeln, sind seit alters ein Allheilmittel für Kopfhautprobleme, von Kahlköpfigkeit angefangen bis Haarausfall, Schuppen und Schorf. Rote Bete hilft auch bei Blasen, Pusteln und Schwielen.

Gurken sind ein wichtiger Bestandteil im Sommersalat und bestehen fast gänzlich aus Wasser. Es wird ihnen nachgesagt, Blasengeschwüre zu lindern. Ferner fördern die Samen die Urinbildung, reinigen den Darm und wirken auch gegen Bandwürmer.

Die *Grüne Gartenbohne* wurde schon von den alten Ägyptern angebaut und verehrt, da die Samen an Testikel erinnerten. Wegen dieser hohen Wertschätzung waren sie als Nahrung verpönt. Die früheste medizinische Anwendung dürfte darin bestanden haben, die Bohnen zu zerstampfen und mit Knoblauch zu einem Mittel aufzukochen, das bei Husten angewendet wurde, während man es heutzutage bei Rheumatismus und Störung der Harnwege einsetzt. Wenn Bohnen nicht gargekocht werden, ist der Verzehr nicht unbedenklich.

Zwiebeln haben seit jeher einen hohen Stellenwert in der Volksheilkunde, z. B. erhöhen sie die Samenproduktion, während der Saft Husten und Erkältungen lindert. Alternativ dazu kann man auch geröstete Zwiebeln mit Zucker und Honig essen. Gehackte Zwiebeln mit Gin soll ein Mittel gegen Ödeme und Nierensteine ergeben. Heutzutage behandelt man auch Symptome von Heufieber und Nasenschleimhautentzündung mit Zwiebeln.

Sogar die weitverbreitete *Kartoffel,* ursprünglich im 16. Jahrhundert aus Südamerika nach Europa eingeführt, ist von medizinischem Wert. Ein altes Hausmittel war z. B. heißes Kartoffelwasser bei Rheumatismus und Schwellungen. Für kalte Kompressen tauchte man geschnittene ungepellte Kartoffelknollen zusammen mit unreifen Beeren in kaltes Wasser. Mit Kartoffeln ließen sich auch Verbrennungen und Brandwunden lindern, während eine Mischung aus Kartoffelmehl und Öl gegen Erfrierungen verwendet wurde. Mit heißen Kartoffeln kann man auch Hühneraugen entfernen!

Radieschen gehören heutzutage in jeden Sommersalat. Sie werden seit langem in Europa und den gemäßigten Zonen Asiens angebaut. Medizinisch gesehen fördern sie den Harnfluß und erleichtern die Symptome bei Nierensteinen und Harngrieß: die Wurzeln hingegen bilden ein Gegenmittel bei Schorf.

Bereits die alten Griechen erwähnten wildwachsende *Mohrrüben* für die Verwendung in der Küche, und im frühen 17. Jahrhundert war das grüne

Gegenüberliegende Seite: **Liebende, Sänger und Musikanten bevölkern diesen mittelalterlichen Burggarten, in dem eine Vielfalt an Obstbäumen und Blumenbeeten kultiviert wird.**

Oben Mitte: **Bohnen werden in vielen Teilen der Welt angebaut und verzehrt. Sie werden jährlich neu aus Samen gezogen, die innerhalb einer Wachstumsphase keimen, heranwachsen und eßbare Schoten und Samen hervorbringen.**

GÖTTIN DER ERNTE

Ceres war die römische Göttin des Getreides. Bei den Griechen hieß die Erdgöttin und Schützerin der Fruchtbarkeit Demeter. Sie war eine der zwölf großen olympischen Gottheiten.

Blattwerk ein beliebter Kopfschmuck der Damen. Damals war man der Auffassung, daß ein breiiger Umschlag aus Karottenwurzeln bei wuchernden Geschwüren Erleichterung bringt und daß die weichen fiedrigen Blätter – in Honig getaucht – sehr gut zum Reinigen von eiternden Wunden geeignet seien. Heute werden die Wurzeln bei Seitenstichen und Blähungen empfohlen, und die Samen bei Ödemen und Bauchschwellungen.

DER KÜCHENGARTEN

Schon die Bezeichnung „Küchengarten" ruft einen vertrauten Klang hervor, der viel mehr beinhaltet als nur eben ein Stück Gemüseland. Küchengärten mit Gemüse, Kräutern und Früchten kennt man seit Tausenden von Jahren. Einer der frühesten war vor mehr als 2000 Jahren in Peru beheimatet, als Kartoffeln, Süßkartoffeln, Erdnüsse, Bohnen, Kürbisse und Früchte wie Avocado und Guava erstmals angebaut wurden.

In der Zeit um Christi Geburt beschrieb der römische Schriftsteller Plinius d.Ä. bereits zwölf Kohlarten sowie zahlreiche Salate und Zwiebeln.

Heutzutage besteht die Kunst eines modernen Küchengartens meist darin, auf einem kleinen Stückchen Erde eine Vielfalt an Gemüsen und Früchten zu ernten. Bei der Auswahl des Gemüses

sollte man besonderen Wert auf gut schmeckende Sorten legen, die sich zudem längere Zeit ernten lassen. Man

Oben rechts: Stachelbeeren sind beliebte Sommerfrüchte. Den englischen Ausdruck „Gooseberries" führt man darauf zurück, daß sie früher als Beilage beziehungsweise in Soßen zum Gänsebraten gereicht wurden. Sie enthalten heilende Substanzen, zur Anwendung beispielsweise bei Entzündungen.

Rechts: Gemüseecken können sich so farbig und vielseitig präsentieren wie Blumengärten. Warum nicht eine bunte Mischung von Gemüsepflanzen mit interessant geformten Blättern setzen und mit Kletterpflanzen auflockern?

werden darüber hinaus zu einem Brei für Geschwüre und Furunkel verarbeitet. Der milchige Saft dient der Behandlung von Warzen.

Die *Stachelbeere* wurde früher gerne als Beilage zu Gänsebraten verzehrt, daher die englische Bezeichnung „Gooseberry". In medizinischer Hinsicht soll der Saft bei Entzündungen helfen und die Einnahme reifer Beeren „heftige Hitze" in Magen und Leber reduzieren. Früher aß man die Blätter, um Harngrieß vorzubeugen.

Weintrauben wurden schon von Homer im 10. Jahrhundert v. Chr. erwähnt, und in seiner „Ilias" figurieren sie als Emblem auf Achilles' Schild. Die Früchte ergeben neben Wein und Essig verschiedene medizinische Heilmittel: Reife Trauben sollen den Harnfluß fördern und bei der Heilung von Pocken hilfreich sein. Bei träger Leber- beziehungsweise Gallenfunktion verordnete man früher eine Traubenkur von drei bis sechs Pfund frischen Trauben täglich. Ferner ließ sich aus den

sollte berücksichtigen, daß nicht alle Sorten innerhalb einer kurzen Zeit und dann auf einmal in großer Menge reifen.

Einige der älteren Obstsorten haben einen intensiveren Geschmack als viele neuere Handelssorten, die hauptsächlich wegen ihres Aussehens und der Haltbarkeit selektiert werden.

Heilendes Obst

Viele Gartenfrüchte tragen medizinische Eigenschaften in sich, und manche von ihnen reichen weit in die Vergangenheit zurück.

Feigen haben eine lange Geschichte hinter sich: Ursprünglich aus Syrien und Palästina stammend, breiteten sie sich nach Griechenland und bald darauf nach Kleinasien und Italien aus. Sie gelten als leichtes Abführmittel und sind Bestandteil vieler Präparate, z. B. Feigensirup. Feigen werden auch zur Behandlung der Atemorgane verwendet, wie der Reinigung von Nase und Kehle. Die weichen Teile der gebackenen Früchte

Die Steckzwiebel-Kultur

Steckzwiebeln sind kleine vorgezogene Zwiebeln, die im Winter für die Frühjahrspflanzung vorbereitet werden. Nachdem die ersten Frühjahrstage vorbei sind, bereitet man den Gartenboden wie für eine Aussaat von Zwiebelsamen vor und wässert gründlich einige Tage vor dem Auspflanzen.

Mit einer Hacke zieht man Reihen in ca. 2 cm Tiefe und 25 cm Abstand. Man entfernt die Pflanzschnur, bevor man die Steckzwiebeln auslegt – denn sonst wird die Anordnung beim Entfernen gestört. Daraufhin drückt man die Steckzwiebeln im Abstand von 10 cm in den Boden, so daß die Spitzen gerade noch herausschauen.

Zum Schutz vor Vögeln überdeckt man die Reihen mit Drahtgeflecht, das sich tunnelförmig zurechtbiegen läßt.

Zahnweh!

Zahnweh ist seit jeher ein aufreibendes Problem, besonders in früheren Zeiten, als die Behandlung noch nicht so zuverlässig war. Eine alte Methode zur Schmerzlinderung bestand darin, ganze Gewürznelken (Eugenia caryophyllata) *in heißen Honig zu legen und sie dann in Nähe des schmerzenden Zahnes langsam zu kauen. Getrocknete Hopfenzapfen* (Humulus lupulus) *wurden ebenfalls als Schmerzmittel bei Zahnweh verwendet.*

Oben links: **Die saftigen Früchte der Pflaumenbäume sind im Sommer wunderbar anzusehen, und eine Köstlichkeit, wenn frisch gepflückt genossen oder zu einem Nachtisch zubereitet. Pflaumen lassen sich auch sehr gut trocknen und ergeben dann ein mildes Abführmittel.**

gekochten Blättern zusammen mit Gerstenmehl ein breiiger Umschlag zur Anwendung bei Entzündungen herstellen.

Auch *Pflaumen* wachsen seit Jahrhunderten in unseren Gärten. Die Früchte dienen sowohl kulinarischen als auch medizinischen Zwecken, sei es in getrocknetem, frischem oder reifem Zustand.

Granatäpfel sind seit der Antike sowohl wegen ihrer saftigen Früchte als auch aufgrund ihres medizinischen Gehaltes kultiviert worden. Die Blüten ergeben einen roten Farbstoff und wurden in früherer Zeit als Medikament zur Entfernung von Würmern angewendet; ein Auszug aus der abgekochten Rinde sollte ebenfalls Würmer austreiben. Darüber hinaus ist die Schale der Frucht bei Durchfallerkrankungen hilfreich.

Der *Kürbis* ist weitverbreitet und Hauptbestandteil des Thanksgiving-Pie in Nordamerika. Es sind jedoch die Samen, die über medizinische Eigenschaften verfügen: Gemahlen und in Wasser aufgelöst ergeben sie eine Lösung zur Austreibung des Bandwurmes.

Im Mittelalter waren *Quitten* Teil des Hochzeitsmahls. Die Samen und das weichgekochte Fruchtfleisch helfen bei Halsproblemen und bei Fieber.

Himbeeren stärken und beruhigen den Magen. Der Sirup von reifen Früchten beugt Übelkeit und Würgegefühlen vor. Ein Tee aus den Blättern kann zum Gurgeln bei Entzündungen der Mundhöhle und zum Auswaschen von Wunden und Geschwüren verwendet werden.

Zierrhabarber *(Rheum palmatum)* nimmt man gerne in das Blumenbeet mit auf. Teile der Wurzel können medizinisch verwendet werden, häufig als mildes Abführmittel, gleichzeitig stärken sie die inneren Organe.

Auch die Wurzeln des Gartenrhabarbers *(Rheum rhaponticum)* ergeben ein leichtes Abführmittel und stärken den Magen. Obendrein wirken sie gegen giftige Bisse. Übrigens sind die Blätter giftig und sollten nicht gegessen werden!

HEILENDE BEEREN UND NÜSSE

Botanisch gesehen sind Beeren Teile der Frucht und hätten insofern im vorigen Abschnitt behandelt werden können. Doch die meisten der bereits erwähnten Früchte sind Kulturformen; die hier besprochenen sind dagegen eine Mischung aus Strauch- und Heckenbeeren, die man in alten Gärten oder der freien Landschaft vorfindet.

Die Früchte der Schwarzen Maulbeere *(Morus nigra)* waren schon den alten griechischen und römischen Schriftstellern bekannt, die ihren Genuß bei Festmahlen priesen. Außerdem galt der aus den Blättern gewonnene Saft als Heilmittel gegen Schlangenbisse. Medizinisch gesehen wirken die reifen Beeren abführend, während der zu Sirup verarbeitete Saft Entzündungen in Mund und Kehle heilt. Abgekochte Rinde und Blätter helfen bei Zahnweh, die Blätter allein wirken blutstillend.

RÄTSELHAFTE HOLUNDERBEEREN

Der in Europa beheimatete Holunderstrauch (Sambucus nigra) *birgt eine Fülle an heilenden Mitteln, wenngleich viel Aberglaube dabei war. Noch um das Jahr 1600 glaubte man, daß mit Holunderblättern, die am letzten Tage im April an Fenstern und Türen angebracht wurden, Hexen verscheucht werden könnten. Auch in Rußland und Westeuropa war man überzeugt davon, daß Holunder böse Geister vertreiben würde. Und einen gesunden Holunderstrauch zu schneiden, bedeutete das sichere Unglück.*

Rechts: Ein Sortiment an weitverbreiteten Kürbissen. Schon etwa 2000 Jahre, bevor Christoph Kolumbus in Amerika landete, wurden sie von den Ureinwohnern angebaut.

EIN ÖKOLOGISCH ANGELEGTER GEMÜSEGARTEN

FLEISCH FÜR DIE ARMEN

Die Eierfrucht oder Aubergine kennt man im Vorderen Orient als „Fleisch des armen Mannes" beziehungsweise „Kaviar des armen Mannes". Es gab auch regionale Bezeichnungen wie Tollapfel oder Sodomapfel, da man glaubte, davon irre zu werden oder epileptische Anfälle zu bekommen.

In zunehmendem Maße erhält man in Geschäften ökologisch angebautes Gemüse, doch selbst diese Auswahl läßt sich nicht mit dem im eigenen Garten gezogenen gesunden Gemüse vergleichen.

Voraussetzung ist eine hohe Bodenfruchtbarkeit und eine regelmäßige Kompostierung von Küchen- und Gartenabfällen. Gut durchgerotteter Tierdung kann im Winter in die Erde untergegraben oder als Mulchschicht aufgebracht werden.

Der Anbau von Pflanzen als Gründünger verbessert die Bodenstruktur und erhöht die Nährstoffversorgung. Hierzu zählen Kulturen wie Senf, Bockshornklee und Klee, die man auf brachliegendem Land anbaut und vor der Samenbildung in den Boden einarbeitet.

Dieses Verfahren ist eine hervorragende Methode zur Bodenverbesserung, wenn Tierdung nicht erhältlich sein sollte.

Der Kreuzdorn (*Rhamnus cathartica*) entwickelt sich zu einem Strauch oder kleinem Baum mit schwarzen Beeren, die einen Abführsaft ergeben. Zerkleinerte Blätter stillen blutende Wunden.

Der Mäusedorn *(Ruscus aculeatus)* ist ein immergrüner Strauch mit hübschen wachsroten, kirschgroßen Beeren. Die Blätter sollen als Umschlag bei Knochenbrüchen helfen.

Der Gemeine Wacholder *(Juniperus communis)*, eine groß wachsende immergrüne Konifere, entwickelt kleine Beeren, die im ersten Jahr grün bleiben und dann blauschwarz werden.

Die Beeren werden zur Herstellung von Gin verwendet, haben aber auch medizinischen Wert, zum Beispiel bei der Behandlung von Ödemen, Husten, Magenbeschwerden, Kurzatmigkeit und Krämpfen sowie zur Verbesserung der Sehfähigkeit.

Die Hundsrose *(Rosa canina)* ist eine stachelige, buschige Pflanze, die im späten Frühling und Vorsommer blüht und nachher rote Samenkapseln, die sogenannten Hagebutten, hervorbringt. Neben Vitamin C besteht ihr medizinischer Wert in der Erleichterung von Durchfallerkrankungen sowie Halsentzündung, Husten und blutigem Auswurf. Getrocknete und zermahlene Hagebuttenschalen finden auch Anwendung bei Koliken und Nierensteinen.

Die Schottische Zaunrose *(Rosa rubiginosa,* früher *R. eglanteria)* hat orange-scharlachrote Hagebutten und war früher für verschiedene medizinische Anwendungen in Gebrauch; diese reichten von der Stärkung des Haarwuchses bis zur Erleichterung bei Verstopfung und dem Abführen von Würmern. Ihre Marmelade galt als wohltuend für die Nieren, während die Wurzeln giftigen Bissen entgegenwirken sollten.

Holunder *(Sambucus nigra)* war im Volksglauben das Symbol für Sorge und Tod. Der aus den Beeren gewonnene Saft wurde gegoren und zur Erleichterung von rheumatischen Schmerzen, Ischias und anderen Neuralgien empfohlen. In früheren Zeiten benetzte man Pflanzen mit dem Sud junger Holunderblätter, um Blattläuse und Raupen fernzuhalten. Die Römer gebrauchten den Saft als Haarfärbemittel.

Die Mistel *(Viscum album),* eine immergrüne verholzende Kletterpflanze, lebt als Parasit vielfach in den Zweigen von Apfelbäumen, aber auch auf Esche, Hasel, Ahorn, Linde und Weißdorn. Die weißlichen Beeren wachsen wie-

DAS ENTFERNEN VON WARZEN

Für das Entfernen von Warzen stehen dem Heilkundler differenzierte Anwendungen zur Verfügung: vom simplen Händedruck des Warzenbesprechers bis zum Vergraben eines Holunderstabes, dem der Wundheiler jene Anzahl einkerbt, die man an Warzen entfernt haben will. Während der Holunder verrottet, sollen auch die Warzen verschwinden. In Nordamerika wurde der milchige Saft der Seidenpflanze *(Asclepias,* rechts) zur Warzenentfernung aufgetragen, in Europa erachtete man den Saft des Großen Schöllkrauts als verläßlicher.

Zu den geheimnisvolleren Methoden zählte das Einwickeln von Äpfeln, grünen Schlehen oder Bohnenschoten; das Paket wurde auf eine Wegkreuzung gelegt – und wer immer es aufnahm, sollte damit die Warzen auf sich ziehen. Auch Eschenbäume waren bei der Warzenübertragung in Gebrauch: Hierzu begab sich der Patient zu einer Esche; jede Warze wurde mit einer neuen Nadel aufgestochen, die dann in die Eschenrinde hineingedrückt wurde, begleitet von einem Spruch, der etwa so lautete: Esche, liebe Esche mein, jetzt sind meine Warzen dein.

Rechts: Diese Illustration von Thomas Hill erschien erstmals 1577 in „The Gardener's Labyrinth". Im oberen Teil werden gerade Weinstöcke angebunden und geschnitten. Unten wird dagegen die Verwendung des Pflanzstockes erläutert, um Blumen in erhöht gelegene Beete zu setzen.

derholt gabelspaltig in den Blattachseln und enthalten ein klebriges Weichharz, das Geschwüre und Beulen reifen läßt. In neuerer Zeit werden aus Mistelzweigen gewonnene, homöopathische Heilmittel bei der Krebsbehandlung eingesetzt.

Der Schlehdorn *(Prunus spinosa)* ist ein stacheliges, buschiges, baumgroß werdendes Gehölz mit an Murmeln erinnernden, großen, blauschwarzen Früchten, den Schlehen; diese sind den Früchten der Haferpflaume ähnlich. Der Überlieferung nach soll man aus den Schlehen ein Mundwasser zubereiten können, das lockere Zähne festigt. Die gemahlene Rinde ergibt ein Mittel bei Schüttelfrost, und ein Tee aus den Blüten wirkt bei Koliken.

Die Eßkastanie *(Castanea sativa)* ist ein großer Baum, der zur Sommermitte Blüten hervorbringt, die an Weidenkätzchen erinnern; die Früchte ähneln

rotbraunen Nüssen. Sie sind für verschiedene medizinische Anwendungen geeignet und haben den Ruf, das Blut zu verdicken. Die getrockneten Kerne lassen sich zu einem Pulver vermahlen und mit Honig zu einem Mittel gegen Husten und blutigen Auswurf verarbeiten.

Die Walnuß *(Juglans nigra)* entwickelt Nüsse, die im unreifen Zustand gut gegen Würmer wirken sollen. Mit Honig, Salz und Zwiebeln ergeben die Blätter ein Mittel gegen Halsweh und Hundebisse. Heuzutage wird die gemahlene Rinde u.a. als Abführmittel verwendet.

GEMÜSE, FRÜCHTE, NÜSSE UND PILZE ALS APHRODISIAKA

Die Verführungskunst dürfte eine der ältesten menschlichen Betätigungen sein. Seit jeher trachten Liebende danach, sie variationsreich zu gestalten. Ein Weg dazu ist die Einnahme von Aphrodisiaka, die den Sexualtrieb stimulieren.

Hartgekochte Eier, das dunkle englische Stout-Bier und Austern haben alle den Ruf, bestens dafür geeignet

AGAVEN GUT UND GESUND

Die zu den Agaven zählende *Cordyline australis* ist bei uns als Zimmerpflanze bekannt und kommt ursprünglich aus Neuseeland, wo sie Nahrung und Medizin lieferte. Ein Tee aus den Blättern ergibt ein Mittel bei Durchfallerkrankungen. Auch lassen sich die Blätter zu einer Salbe bei Wunden, Schnitten und Rissen der Haut verwenden. Als im 18. Jahrhundert der britische Forscher und Seefahrer James Cook mit seiner Mannschaft auf Neuseeland landete, aßen sie Herzen und innere Blätter der Agaven, die blanchiert oder gekocht wurden.

Oben: Als die Tomaten aus Südamerika nach Europa gebracht wurden, bezeichnete man sie als „Liebesapfel", was zu der Annahme führte, daß sie der sexuellen Potenz förderlich wären.

Außen links: Die Mistel ist ein wohlbekannter Pflanzenparasit, der auf verschiedenen Bäumen gedeiht, auch auf dem Apfelbaum.
Sie kommt in vielen Legenden vor und wurde schon von den Druiden bei ihren Opferritualen verwendet. Der Sage nach soll die Mistel einst dem Liebesgott überreicht worden sein. Fortan, so bestimmte er, solle ein jeder, der unter ihr einherging, einen Kuß erhalten – eine Tradition, die sich bis zum heutigen Tage erhalten hat.

zu sein. Dazu gehören auch viele weithin bekannte Gemüse, Pilze, Früchte und Nüsse.

Stimulierende Gemüse

Zu den Gemüsen mit aphrodisischen Eigenschaften zählen Radieschen, Pastinaken, Spargel, Artischocken, Tomaten (früher als Liebesapfel bekannt), Porree, Sellerie, Zwiebeln, Schalotten, Gartenbohnen und Erbsen.

Die Spannbreite ist so weit, daß die Glaubwürdigkeit häufig in Frage gestellt wird. In der Literatur sind jedoch einige dieser Gemüse so bekannt, daß die vielgerühmte sexuelle Steigerung tatsächlich stimmen könnte.

Dem Küchenspargel *(Asparagus officinalis)* wurde nachgesagt, daß er „die Venus handgreiflich hervorkehre", und im 16. Jahrhundert berichtete das Buch „The Perfumed Garden", daß Spargel mit Eigelb in Fett gebraten, zusammen mit Kamelmilch und Honig verzehrt, das männliche Glied dazu anregt, Tag und Nacht auf dem Posten zu sein.

Von den Artischocken erzählte man sich:

Artischocke, Artischocke,
wohl den Körper und den Geist
als auch Genitalien speist.

Und über die Schalotte wurde berichtet:

Die Ehe leidet im Alter oft Not, drum
iß viel Schalotten zum Fest und zum
Brot!

Luststeigernde Pilze

Trüffeln und einigen anderen Pilzarten werden ebenfalls sexuell anregende Inhaltsstoffe nachgesagt. Hierzu zählt auch das Stinkhorn *(Phallus impudicus)*, das im Fernen Osten wegen seiner phallischen Form sowie dem Herauswachsen aus einem eiähnlichen Sack hoch angesehen war.

Auch dem gewöhnlichen Speisepilz werden aphrodisische Kräfte nachgesagt, aber nur dann, wenn man ihn nicht abschneidet, sondern aus dem Boden herausreißt.

Unten: Der Verzehr von Artischocken soll angeblich erotische Vorstellungen evozieren. Als attraktives Gemüse machen sie sich auch gut im Blumenbeet.

Ein indianisches Mittel gegen Rheumatismus

Die aus Nordamerika stammende Kermesbeere *(Phytolacca americana)* hat dort die Bezeichnung „Pokeberry", die sich auf das indianische Wort „pocan" rückführen läßt, eine Pflanze, die einen roten Farbstoff hervorbringt. Dieser kommt aus den Beeren, deren Saft die Indianer als ein Mittel gegen Rheumatismus einnahmen. Ferner halfen die gesäuberten und gerösteten Wurzeln bei Gelenkentzündungen. Alternativ dazu konnte man die Wurzeln kochen und zu einem warmen breiigen Umschlag verarbeiten.

In früheren Jahrhunderten vermutete man selbst in der einfachen Kartoffel sexuelle Kräfte, was aber darauf zurückzuführen gewesen sein mag, daß sie bei ihrer Entdeckung in Südamerika zunächst als „mehlige Trüffel" bezeichnet wurde.

APHRODISIAKA AUS INDIEN

Die indische Literatur quillt förmlich über von Ratschlägen für Liebende. In der ayurvedischen Medizin wird *Asparagus racemosus* als Aphrodisiakum verwendet; seine Übersetzung aus dem Sanskrit bedeutet „vielerbig", und man hat nachgewiesen, daß seine saftigen Wurzeln die Spermienzahl erhöhen. Das Feigengewächs Banyan *(Ficus bengalensis)* wird in Indien verehrt und bringt anregende Kräfte auf verschiedene Weise hervor: Der Saft soll die Manneskraft erhöhen, und ein Aufguß aus den Samenkörnern ein Stärkungsmittel ergeben. Betelblätter *(Piper betle)*, Indischer Hanf *(Cannabis sativus)* und Safran *(Crocus sativus)* sind weitere Pflanzen, die in der alten indischen Literatur als Aphrodisiaka erwähnt werden.

Aphrodisische Früchte und Nüsse

Feigen, Granatäpfel und Bananen gehören ebenfalls zu den Früchten mit anregenden Eigenschaften. Der Granatapfel steht als eines der ältesten semitischen Symbole für Fruchtbarkeit und Fülle. Jene Liebe und Fruchtbarkeit symbolisierenden Früchte wurden bei Hochzeitsbanketten im alten Assyrien serviert. Bei orientalischen Hochzeiten wurden den Gästen hingegen Granatapfelkerne dargeboten.

Als die Mauren im 8. Jahrhundert Spanien eroberten, brachten sie den Granatapfel auf die Iberische Halbinsel, der in der Folgezeit das Emblem der Stadt Granada wurde.

Die Franzosen entwickelten im 17. Jahrhundert ein explosives Geschoß und bezeichneten es als „grenade", nach dem französischen Wort für Granatapfel, da es an die samenversprengende Natur jener Frucht erinnerte; Soldaten dieser Militäreinheit nannte man Grenadiere.

Auch Nüsse sollen aphrodisische Eigenschaften haben. Von der Kastanie behauptete man im 16. Jahrhundert, daß sie selbst Venus ansporne.

Haselnüsse gelten seit langem als Heilmittel bei Impotenz des Mannes, und schon vormals lautete der Rat in einem lateinischen Heilbuch, daß eine Mischung aus Nüssen und Satyrion (aus fleischigen Orchideenwurzeln) alle Wünsche einer Frau befriedige.

Von Mandeln und Walnüssen wie auch von den Steinen in Pfirsichen und Aprikosen wird ebenfalls behauptet, die Libido zu fördern. Schon die Königin von Saba pries die Pistazie, da sie angeblich „die Lust erwecke".

Links: Die Eierpflanzen aus dem „Ortus Sanitatis", das im 15. Jahrhundert erschien, scheinen den Mann in Erregung versetzt zu haben – sehr zur Bestürzung der Anstandsdame. Diese tropische Pflanze aus Asien, bei uns unter dem Namen Aubergine bekannt, ist allerdings heutzutage nicht mehr dafür bekannt, die Libido zu beflügeln.

LITERATUR

Alber, Gregor: Gesellschaftliche Stellung und Aufgaben des Medizinmannes bei Prärie- und Plainsindianern Nordamerikas. Wyk 1992

Altmann, Horst: Giftpflanzen – Gifttiere Merkmale, Giftwirkung, Therapie. München 3. Aufl. 1997

Bach, Edward: Blumen, die durch die Seele heilen. Die wahre Diagnose von Krankheit – Diagnose und Therapie, München 1992

Bauch-Troschke, Zita: Begrünte Wände, Lauben und Pergolen. Gestaltung mit Kletterpflanzen und Spalierobst, München 1998

Bickel, Gabriele: Mein Kräuterhexenwissen. Elixiere, Tees, Salben und Pflasten, Stuttgart 1997

Bittlinger, Arnold: So heilen Schamanen. Schamanistische Heilungen im Licht von Bibel und Psychotherapie, Kindhausen 1991

Brooks, John: Der Garten Sinnvoll geplant - richtig angelegt. Augsburg 1996

Brooks, J./Price, E.: Stil und Harmonie in Haus und Garten. Herford 1998

Brown, Deni: Große Kräuter-Enzyklopedie. Köln 1996

Chatto, Beth: Im grünen Reich der Stauden. Stuttgart 1991

Dalichow, I./Booth, M.: Aura-Soma: Heilung durch Farbe, Pflanzen und Edelsteine. München 1994

Dittrich, Bernd: Duftpflanzen. Für Garten, Balkon und Terrasse, München 2. Aufl. 1992

Essener Friedensbruderschaft: Schöpfkraft der Farben. Farbenergie erkennen und anwenden, Freiburg 2. Aufl. 1995

Farber, Stephanie: Geheimnisse der Heilkosmetik. Schön mit ästherischen Ölen und Pflanzen, München 1993

Fischer-Rizzi, Susanne: Himmlische Düfte. Asmotherapie, München 1995

Grawert, Manfred: Gärten nach der Natur. München 1998

Grün ist Leben. Wildstauden für Schattenflächen und Säume. BDB-Handbuch Band 7, Pinneberg 1992

Guild, Tricia: Leben mit Blumen. Augsburg 1998

Guinness, Bunny: Der Familien-Garten. München 1997

Hensel, Wolfgang: Heilkraft aus dem Garten. Gemüse, Obst und Kräuter, Stuttgart 1998

Hertle, Bernd: Gartenblumen: so blühen sie am schönsten. München 1993

Hillier, M./Hayward, S.: Farbgestaltung im Garten: der Jahresplaner für phantasievolle Farbkompositionen im Garten. Köln 1996

Hobhouse, Penelope: Farbe im Garten. Stuttgart 1986

Howcroft, Heidi: Das Pflaster im Garten. 150 Beispiele für schönere Wege, Terrassen und Balkone, München 1996

Howcroft, Heidi: Der individuelle Garten. Ideen und Beispiele für eine ganz persönliche Gestaltung, München 1995

Hulke, Waltraud Maria: Das Farbenheilbuch. Der praktische Umgang mit Farben und ihre Wirkung auf Körper, Seele und Geist, Aitrang 6. Aufl. 1997

Jekyll, Gertrude: Pflanzenbilder aus meinen Gärten. Über englische Gartengestaltung, Stuttgart 1988

Keen, Mary: Gärten in allen Farben. Die schönsten Kombinationen in Blau, Rot, Gelb, Grün, Weiß, München 1992

Keen, Mary: Garteninspirationen. 200 phantasievolle Details für den schöneren Garten, München 2. Aufl. 1996

Keen, Mary: Mein Gartenparadies. Von der Entstehung einer der schönsten Gärten Englands, München 1997

King, M./Oudolf, P.: Zarte und prachtvolle Gräser, Köln 1997

Koch,Burghard/Becker, Petra: Otzberger Kräuterbuch. Kräuter des Abendlandes, Holm 1997

Köhler, Peter: Klostergarten-Medizin. Das uralte Heilwissen der Mönche und Nonnen wiederentdeckt. Rezepte und Ratschläge für ein gesundes Leben, Augsburg 1990

Kreuter, Marie-Luise: Der Biogarten. Ein umfassender Ratgeber für alle Biogärtner mit Beispielen für Nutz- und Ziergärten, München 1992

Lacey, Stephen: Der duftende Garten. Vorschläge für den Anbau und Pflege wohlriechender Pflanzen, Köln 1992

Lawson, Andrew: Gartenbuch der Farben. Hamburg 1997

Lord, Tony Borders: Blumenbeete und Rabatten. München 1995

Minter, Sue: Der heilende Garten: Oase für Körper, Geist und Seele. Köln 1998

Nazim Adl al-Haqqani, Muhammad: Gegen jede Krankheit gibt es ein Mittel. Die natürliche Medizin der Sufi-Meister, Bonndorf 1991

Nickig, M./Rau, H.: Der sinnliche Garen. Hamburg 1997

Nostradamus: Die großen Weissagungen des Nostradamus. Prophetische Weltgeschichte bis zum Jahr 2050, München 1993

ÖkoRatgeber Garten: Biogärtners Almanach 1998 Adressen, Kontakte, Planungs- und Kontrolljahrbuch, Ideen & Tips. Holm 1997

Phillips, R./Rix, M.: Stauden in Garten und Natur. München 1992

dito: Gemüse. München 1994

Pickles, Sheila: Die Sprache der Blumen. München 1995

Pogacnik, Marco: Die Landschaft der Göttin: Heilungsprojekte in bedrohten Regionen Europas. München 1993

dito: Die Erde heilen: Das Modell Türnich. München 2. Aufl.1992

Pope, Sandra und Nori: Gärten in Weiß, Gelb, Rot und Blau.... München 1999

Rätsch, Christian: Indianische Heilkräuter. Tradition und Anwendung. Ein Pflanzenlexikon, München 1993

Schönfelder, Peter und Ingrid: Der Kosmos-Heilpflanzenführer. Europäische Heil- und Giftpflanzen. Stuttgart 6. Aufl. 1995

Sonntag, Hans: Die Sprache der Blumen. Berlin 1995

Sperling, Elke: Das große Buch der lebendigen Naturheilkunde. Praxisbewährte Rezepte aus Homöopathie, Kräuterheilkunde, Edelstein-, Farb-, Aroma- und Bachblütentherapie, München 1995

Thun, Maria: Aussaattage. 1998/1997

v. Bingen, Hildegard: Heilkraft der Natur. Freiburg 1993

v. Bingen, Hildegard: Heilwissen. Von den Ursachen und der Behandlung von Krankheiten, Freiburg 1992

Wolff, Jürgen (Hrsg.): Mein schöner Garten. Stuttgart 3. Aufl. 1997

Willfort, Richard: Gesundheit durch Heilkräuter. Linz 25. Aufl. 1995

Zander, Robert: Handwörterbuch der Pflanzennamen

REGISTER

Die kursiv gesetzten Begriffe beziehen sich auf die lateinischen Pflanzennamen, die kursiven Ziffern auf Abbildungen.

Abies 34, 65
Abronia 75, 78
Acanthus 52, 120f
Acer *34*, *35*, 46, 51
Achillea 48, 118
Aconitum 50, 106
Acorus calamus 65, 83
Agapanthus 50, 118
Agave 137
Alchemilla mollis 48
Aloysia triphylla 90
Alraune 105
Alstroemeria 52, 118
Amberboa moschata 117
Amelanchier 43
Anaphalis 45, 121
Anchusa azurea 50, 96
Anethum graveolens 109
Angelica 68, 83, 107
Antiaris toxicaria 106
Aphrodisiaka 115, 127, 137f
Aponogeton distachyos 83
Apotheker-Rose *85*
Araucaria araucana *34*
Arctium lappa 108
Arnica montana 107
Aromaöle 70
Aromatherapie 70
Artemisia 45f, 71, 87, 90, 92
Asparagus 138, 139
Aster *48*, *48*, 50, 96

Ätherische Öle 68ff
Atropa belladonna 107
Aussaat 30
Azara microphylla 91

Babiana plicata 92
Babylon 9
Bachlauf 99
Bambus 97
Beifuß 71
Bellis perennis 52, 53, 125
Berberis darwinii 46
Betula albosinensis *34*
Bienen 96
Blaugummibaum *73*
Blickpunkte 57
Blumenkästen 80
Bodenarten 15
Bodenbeläge 51
Bodenverbesserung 16
Brachyglottis greyi 44
Buxus sempervirens *54*, *62f*

Calendula officinalis *108*, 118
Callistephus chinensis 118
Calocedrus decurrens *34*
Calycanthus floridus 75
Camassia quamash 50
Campanula isophylla 53
Canella winterana 75
Cannabis sativus 139
Carpinus betulus 61
Castanea sativa 137
Catalpa bignonioides 46
Catananche caerulea 118
Ceanothus 50
Cedar 75f

Centaurea moschatum 92
Cerbera tanghin 106
Cercis siliquastrum 50
Chamaecyparis 33, 46, 76, 81
Chamaemelum nobile 109
Chimonanthus praecox 79, *79*
Chinesische Gärten 13
Choisya ternata 74, 90
Chrysanthemum maximum 46
Cimicifuga racemosa 106
Cineraria maritima 46
Cistus ladanifer 90
Clematis 36, *36*, 74, 77, 85
Conopholis americana 74
Consolida ambigua 118
Convallaria majalis 74
Cordyline australis *137*
Coreopsis verticillata 48, 118
Coriandrum sativum 109
Cornus stolonifera *34*, 44, 47
Cortaderia selloana 36, 37
Corylopsis 90
Corylus avellana *34*, 49
Cotinus 49
Cotoneaster 50
Cotula coronopifolia 83
Craspedia globosa 122
Crinum x powellii 74
Crocosmia 50, 52
Crocus 75, 81, 107, 139
Cupressocyparis x leylandii 33
Cupressus 46, 63, 76f
Cynara cardunculus 121
Cytisus 75, 90f

Dampfbäder 36
Daphne 74, 78ff

Datura 106, 107, 127
Delphinium elatum 50
Dicentra spectabilis 52
Dictamnus albus 81, 91f, 120
Digitalis purpurea 109
Drainage *17*
Duftprimeln 87
Düngemittel 21

Echinacea 50, 110
Echinops ritro 50, 120, *123*
Elettaria cardamomum 72
Embothrium coccineum 52
Encarsa formosa 27
Ephedra nevadensis 106
Erigeron 50, 120
Eryngium 121
Erythronium americanum 106
Erythrophleum suaveolens 106
Eschscholzia californica *48*, 117, *119*
Espen 98
Eucryphia glutinosa 44
Eugenia 133
Eupatorium purpureum 50
Excaecaria agallocha 106

Fagus sylvatica 58, 61
Farbkreistheorie 41
Farbtherapie 39
Ficus religiosa 7, 139
Filipendula 50, 83
Fleur-de-lis 124
Forsythia 47, 49
Fruchtfolge 22
Fuchsia 60

Gaillardia pulchella 119
Galanthus 66, 81
Gaultheria procumbens 90, 112
Gemüsegarten 135
Genista 47, 110
Glycyrrhizaglabra 111
Gnaphalium 120
Grabschmuck 128
Griechenland 10
Gypsophila 46, 119

Ha-ha 12
Hamamelis 47, 74f, 79f
Hebe salicifolia 37
Heilkräuter 106
Helichrysum 66, 90, 120
Hemerocallis 53
Hesperis matronalis 79
Hibiscus syriacus 52
Hippomane mancinella 106
Hochbeete 22
Hochzeitssträuße 125
Holunderbeeren 134
Hortensia arborescens 44
Houttuynia cordata 83, 84
Humulus lupulus 133
Hydrangea 50
Hyoscyamus niger 110
Hypericum 47

Iberis umbellata 119
Ilex aquifolium 33, *33,* 61
Innenhöfe 53
Iris *19*, 74, 74, 75, *80,* 81f, *88,* 92, *124*
Irrgärten 61
Islamische Gärten 11
Itea ilicifolia 33

Japanische Gärten 13
Jasminum 67, 85f
Juglans nigra 137
Juniperus 63, 80, 135

Kalmia latifolia 52, 112
Kardamom 72
Kerria japonica 47
Klangspiele 97
Kletterrosen 88
Klostergärten 12, 104
Kniphofia 53
Kolkwitzia amabilis 52
Koniferen 76
Küchengärten 132
Küchenkräuter 112

Labyrinthe 61
Lathyrus odoratus 87
Laurus nobilis *112*, 113
Lavandula 50, 60, 77, 89f
Leucanthemum maximum 46
Leucojum vernum 66, 74
Leycesteria formosa 52
Liatris 50, 108f
Ligustrum 60, 63, 120
Lilium 9, 26, 74, 92, 129
Limonium 120, 121
Lobelia 53, *96*, 111
Lobularia 53, 75
Lonicera 78, 80, 85ff, 92
Lupinus arboreus 92
Lysichiton americanus 74, 82
Lysimachia punctata 48
Lythrum salicaria 53

Macropiper excelsum 37
Magnolia 44, 46, 52, 74, 91
Mahonia 79, 80
Malcolmia maritima 78
Malus 50, 91
Mandragora officinarum 105
Matthiola longipetala 78
Mauern 60
Mentha aquatica 82, 111
Mirabilis jalapa 79
Miscanthus 97, *97*
Mischkulturen 22
Molluccella laevis 120
Morus nigra 134
Mulch 24
Muscari 53, 92
Myoporum laetum 37
Myosotis 51
Myrtus communis 89f, 115, 125

Neandertaler 7
Nelumbo nucifera 7, *7*
Nepeta 66, *66*
Nerium oleander *111*
Nicotiana alata 78
Nigella damascena *118,* 119

Nuphar lutea 82
Nymphaea odorata 83

Ocimum 7
Oenothera 78
Oleander 111
Onopordum acanthium 46, 120

Paeonia 74, 111, 111
Papaver 111, *116,* 117, 120, 120
Passiflora caerulea 87, *87*
Pelargonium *53,* 75
Petasites fragrans 83
Pfeilgifte 108
Pflanzenschutz 28
pH-Wert 16
Phallus impudicus 138
Phlomis fruticosa 34, 48
Phlox paniculata 53, 78
Phyllostachys nigra 34, 97
Physalis alkekengi 120, 122
Physostegia virginiana 51
Physostigma venenosum 106
Phytolacca americana 138
Picea pungens 49
Pieris japonica 52
Pilze 138
Pimpinella anisum 107
Pistacia terebinthus 75
Plantago psyllium 111
Pleioblastus variegatus 97
Podocarpus 37, 106
Polemonium folisissimum 51
Polygonum bistorta 107
Populus 6, 97f
Potentilla 48, 60
Primula 19, 87
Prunus 90, 137
Pseudosasa japonica *34*, 97
Pulmonaria officinalis 104
Pyrus salicifolius 44

Quellen 37

Rainfarn 70
Reseda odorata 78, 80
Rhamnus catharticus 135
Rheum 134
Rheumatismus 138
Rhododendron praecox 49
Ribes aureum 91
Rinden *34*
Robinia pseudoacacia 48
Rom 10
Romneya coulteri 46
Rosa 10, 72, *73*, 74, 75, 83ff, 88f, 125, *135f*
Rosengärten 83
Rosmarinus 12, 62, 65, 75, 77, 89f, 113, 125, 129
Rudbeckia 48
Ruscus aculeatus *135*
Ruta graveolens 90, *90*

Sambucus nigra 110, *134*, 136
Sanguinaria canadensis 108
Santolina 47, 89
Saponaria officinalis 74, 78
Sasa veitchii 97
Saururus cernuus *66,* 83
Scabiosa 92, 96
Schizostylis coccinea 53
Schmetterlinge 120
Seifenkraut 74
Senecio 44, 53
Signaturenlehre 104
Silene 78f
Sinarundinaria 34, 97
Skimmia japonica 91
Solidago *48*, 120, 120
Sorbus aucuparia 50
Spaliere *62*
Spartium junceum 90
Spiraea x arguta 44
Springbrunnen 63, 100f
Stachys *35*, 46
Stechginster 90
Stechpalme 10
Steckzwiebel 133
Strychnos 107, 108
Sumpfpflanzen 83
Symphytum officinale 107

Tamarix gallica 45
Tanacetum vulgare 70
Taraxacum officinale 103
Taxus baccata 45, 60, 61, 63
Teegärten 13
Teiche 63, 99
Thamnocalamus spathaceus 34, 97
Thuja 76, 81
Tontherapie 95
Trachycarpus fortunei *34*
Tradescantia virginiana 51, 96
Trillium erectum 74
Trockenblumen 119
Trollius x cultorum 49
Tsuga 63
Typha 101

Ulex europaeus 47, 77, 90
Urtica urens 107

Valeriana 111
Viburnum 44, 74, 80, 109
Viola 111, 125, 127
Viscum album 136
Vögel 95

Wassergärten *98*
Wasserpflanzen 82f
Weigela 52
Weihrauch 67
Wisteria *87*, 88
Withania somnifera 128

Zantedeschia aethiopica 119
Zaubernuß 75
Zäune 60
Zedernholz 75
Ziergräser 97
Zitterpappeln 96
Zweige 34
Zwergkoniferen 80f